Faites vous-même
votre malheur

Paul Watzlawick

Faites vous-même votre malheur

TRADUIT DE L'ANGLAIS (ÉTATS-UNIS)
PAR JEAN-PIERRE CARASSO

Éditions du Seuil

TEXTE INTÉGRAL

Titre original : *The Situation is Hopeless but not Serious*
The Pursuit of Unhappiness
© original : Paul Watzlawick, 1983

ISBN 978-2-7578-4187-7
(ISBN 978-2-02-006992-2, 1ʳᵉ publication
ISBN 978-2-02-012941-1, 2ᵉ publication)

© Éditions du Seuil, 1984, pour la traduction française

Préface

Il était une fois, au cœur de l'Europe, un vaste empire. Il se composait d'une telle multitude de cultures si différentes les unes des autres que nulle solution de bon sens n'était jamais envisageable à un quelconque problème ; de telle sorte que l'absurde y devint le seul mode de vie possible. Ses habitants – les Austro-Hongrois, comme le lecteur l'aura sans doute deviné – acquirent donc une réputation proverbiale pour leur incapacité à affronter raisonnablement les problèmes les plus simples, mais aussi pour la faculté qui semblait la leur d'accomplir l'impossible comme par défaut. Ainsi un bel esprit a-t-il pu soutenir que l'Angleterre perdait toutes les batailles, à l'exception des batailles décisives, tandis que l'Autriche perdait toutes les siennes, à l'exception des plus désespérées. (Comment s'en étonner quand on sait que la plus haute distinction militaire était destinée à récompenser les officiers qui auraient su transformer une défaite en victoire de dernière minute par une quelconque action en opposition complète avec le plan général de la bataille ?)

Ce grand empire n'est plus aujourd'hui qu'un

pays minuscule. Mais l'absurde est resté le point de vue de ses habitants sur l'existence, l'auteur des quelques pages qu'on va lire ne faisant pas exception à cette règle. À leurs yeux, la vie est désespérée, mais elle n'est pas grave. Comment souhaiter meilleurs conseillers pour ceux qui désirent apprendre à faire eux-mêmes leur malheur ?

Introduction

« Que faut-il attendre de l'homme […] ? Entassez sur lui toutes les bénédictions, submergez-le de bien-être jusqu'à ce que les bulles viennent crever à la surface de sa prospérité comme à celle d'un étang, accordez-lui une telle réussite économique qu'il ne lui restera plus rien à faire que de dormir et de déguster de délicates friandises en discourant à perte de vue sur la continuité de l'histoire mondiale ; oui, faites tout cela et, par pure ingratitude, par pure méchanceté diabolique, il n'en finira pas moins par vous jouer un sale tour de sa façon. Il mettra son propre confort en péril et désirera posément pour lui-même quelque saleté délétère, quelque ordure coûteuse, dans le seul but de pouvoir allier au bon sens solennel qu'il a généreusement reçu en partage un peu de la futilité, de l'élément fantasmatique qui fait partie intégrante de son être composite. Et pourtant, ce sont ces rêves fantasmatiques, cette dégradante stupidité, qu'il souhaite avant tout retenir… »

Ces mots sont de la plume de l'homme que Friedrich Nietzsche considérait comme le plus grand des psychologues : Fiodor Mikhaïlovitch Dostoïevski. Et, pourtant, ils se ramènent à une banalité connue depuis des temps immémoriaux : l'homme n'est guère fait pour s'accommoder de la pure béatitude.

Il est plus que temps de mettre au rancart les contes de bonne femme qui voudraient nous faire croire que la chance, le bonheur et la satisfaction sont tout ce qu'il convient de désirer dans l'existence. Il y a trop longtemps que l'on nous dit – et que nous croyons naïvement – que la poursuite du bonheur débouche sur le bonheur.

Ce qui rend toute cette histoire particulièrement absurde, c'est que le terme lui-même n'est guère susceptible de définition. « En quoi consiste le bonheur, voilà qui n'a jamais cessé d'être débattu », écrit le philosophe Robert Spaemann dans un essai sur la vie heureuse ; « Varron et, à sa suite, saint Augustin ne dénombraient pas moins de deux cent quatre-vingt-neuf opinions sur le bonheur. Tous les êtres humains veulent être heureux. » Et Spaemann cite ensuite la sagesse de l'histoire juive dans laquelle un fils dit à son père qu'il veut épouser Mlle Katz. Mais, objecte le père, la demoiselle Katz n'a pas de dot. Le fils s'entête. Il ne sera heureux qu'avec Mlle Katz. Sur quoi le père : « Être heureux, mais quel bien cela te fera-t-il ? » (23)*.

La littérature mondiale aurait dû suffire à éveiller nos soupçons. Désastre, tragédie, catastrophe, crime, péché, démence, danger – voilà la matière première de toutes les grandes créations littéraires.

* Les nombres entre parenthèses renvoient à la bibliographie, p. 115.

L'Enfer de Dante est beaucoup plus ingénieux que son *Paradis*. Il en va de même du *Paradis perdu* de Milton, à côté duquel son *Paradis retrouvé* est assez insipide. Le premier *Faust* nous tire des larmes, le second des bâillements.

Inutile de nous raconter des histoires : que serions-nous, et où en serions-nous, sans notre malheur ? J'espère que l'on me passera la vulgarité de l'expression car elle est littéralement vraie : nous en avons *salement* besoin.

Nos cousins à sang chaud du royaume animal ne sont d'ailleurs pas mieux lotis que nous. Que l'on veuille bien considérer seulement les effets monstrueux de leur vie confinée et protégée dans les zoos, qui, mettant ces splendides créatures à l'abri des périls, de la faim et des maladies (y compris la carie dentaire), a vite fait de les transformer en l'équivalent des névrosés et des psychotiques humains.

Notre monde, bien près d'être submergé par le raz de marée des conseils prodigués par d'innombrables manuels et guides consacrés à la poursuite du bonheur, ne doit plus se voir refuser la bouée de sauvetage dont il a tant besoin. La connaissance des mécanismes et des processus produisant le malheur doit cesser d'être un secret jalousement gardé par la psychiatrie et la psychologie.

Certes, le nombre de ceux qui paraissent naturellement dotés du talent de fabriquer leur enfer personnel peut passer pour relativement élevé. Mais plus nombreux encore sont ceux qui, à cet égard, ont besoin d'aide et d'encouragement : c'est à eux que ce petit livre est dédié, dans l'espoir qu'il guidera leurs premiers pas après les avoir initiés.

Mais il n'entre pas seulement de l'altruisme dans mon entreprise – elle revêt aussi une importance politique et économique. Ce que les directeurs de zoo pratiquent dans leur modeste domaine, les gouvernements modernes tentent de l'accomplir à l'échelle nationale : confits dans la sécurité, il faut que les citoyens mènent une existence dégoulinante de bonheur du berceau jusqu'à la tombe. Pour atteindre ce noble objectif, il faut, entre autres choses, entreprendre et mener sans relâche l'éducation du public pour lui permettre d'accéder à des niveaux toujours plus élevés d'incompétence sociale. Il ne faut donc pas s'étonner de voir l'accroissement vertigineux des sommes consacrées dans le monde à la santé publique et aux diverses entreprises à caractère social.

Donnons quelques exemples : le total des dépenses de santé des États-Unis s'est élevé de 12,7 milliards de dollars en 1950 à 247,2 milliards en 1980. Les seules dépenses de médicaments et d'articles médicaux sont passées de 3,7 milliards à 19,2 milliards pendant la même période. Et les dépenses de Sécurité sociale ont connu une évolution aussi faramineuse, passant de 23,5 milliards en 1950 à 428,4 milliards en 1979 (24). Pour prendre un seul exemple européen, les statistiques actuelles font apparaître en Allemagne de l'Ouest une dépense *quotidienne* de 450 millions de DM pour le système de santé, c'est-à-dire trente fois plus qu'en 1950. Elles montrent aussi qu'on compte à tout moment une moyenne de 10 millions de personnes malades en République fédérale et que le citoyen moyen d'Allemagne de l'Ouest engloutit trente mille comprimés dans le cours de sa vie.

Que l'on imagine ce qui nous arriverait en cas de ralentissement, voire – ce qu'à Dieu ne plaise ! – d'inversion de cette tendance. Des ministères entiers et toutes sortes d'autres institutions monstrueuses s'effondreraient, des pans entiers de l'industrie feraient faillite et des millions d'hommes et de femmes se retrouveraient au chômage.

Pour participer à la lutte contre l'éventualité d'un tel désastre, j'ai conscience du rôle modeste mais réel que peut jouer ce petit livre. L'État moderne a si grand besoin de l'impuissance et du malheur toujours croissant de ses citoyens qu'on ne peut laisser la satisfaction d'un tel besoin à la seule initiative individuelle, quelles qu'en soient les bonnes intentions. Comme dans tous les autres domaines de la vie humaine, le chemin de la réussite passe ici par la planification et le dirigisme de l'État. *Être* malheureux est certes à la portée du premier venu. Mais *se rendre* malheureux, faire *soi-même* son propre malheur sont des techniques qu'il faut apprendre : à cet apprentissage-là, quelques coups du destin ne suffisent pas.

Or, même dans les écrits des professionnels (c'est-à-dire des psychiatres et des psychologues), les renseignements utiles sont rares et le plus souvent fournis au hasard, en dehors de toute intention de l'auteur. À ma connaissance, un nombre relativement peu élevé de mes distingués confrères s'est risqué à aborder ce sujet épineux. Parmi les exceptions dignes d'éloge, on peut citer les Canadiens français Rodolphe et Luc Morisette et leur *Petit Manuel de guérilla matrimoniale* (12) ; *Commedie e Drammi nel Matrimonio*, de Guglielmo Gulotta (6) ; *Nœuds*, de Ronald Laing (9) et *le Magicien sans magie*, de Mara Selvini (22), dans lequel le célèbre psychiatre montre que le système scolaire a en réalité besoin de l'échec des psychologues scolaires à promouvoir tout changement pour pouvoir continuer toujours dans la même direction. Les ouvrages de mon ami Dan Greenburg méritent une mention spéciale : *How to Be a Jewish Mother* (*Comment devenir une mère juive en dix leçons**) (4) et *How to Make Yourself Miserable* (5) (Comment se rendre soi-même horriblement malheureux), cet ouvrage important, salué par la critique comme « un rapport honnête qui a appris à plus de 100 000 lecteurs comment mener une existence réellement dépourvue de toute signification ». Enfin, mais certainement pas par ordre d'importance décroissante, il convient de citer ici les trois principaux représentants de l'école britannique : Stephen Potter et son *Upmanship* (17), Laurence Peter, découvreur du *Principe de Peter* (16), et enfin C. Northcote Parkinson dont la loi est désormais connue dans le monde entier (14, 15).

Mais ce que le présent livre se propose d'offrir

---

* Afin d'éviter tout malentendu, il me faut citer ici la remarque par laquelle mon ami présente son ouvrage et selon laquelle « en réalité, pour mériter le titre de Mère Juive, il n'est nullement nécessaire d'être mère ni même d'être juive. Une femme de ménage portugaise, un épicier italien ou le bougnat du coin peuvent aussi bien en être dignes » (4).

en addition à ces remarquables études, c'est une introduction systématique aux mécanismes les plus fiables et les plus utiles à la recherche méthodique du malheur – recherche fondée sur des dizaines d'années d'expérience clinique. Malgré cette prétention, on aurait tort de voir dans ce qui suit une compilation complète et exhaustive, car il s'agit plutôt d'un ensemble d'instructions et de conseils qui permettront aux lecteurs les plus doués de mettre au point un style qui leur sera personnel.

Avant tout
sois loyal envers toi-même
sans jamais renoncer

Cette perle de sagesse remonte au grand chambellan Polonius. Pour en mesurer toute l'importance à l'égard du sujet qui nous occupe, il suffit de se rappeler que, dans *Hamlet*, Polonius parvient, en étant loyal envers lui-même jusqu'au bout, à se faire prendre pour un rat et trucider d'un coup d'épée derrière la tenture où il se cache. Chacun sait aujourd'hui que ce n'est pas en écoutant aux portes que l'on entend dire du bien de soi, mais cette autre perle de sagesse devait être inconnue au royaume de Danemark en ce temps-là.

On nous objectera peut-être que l'idée de faire soi-même son malheur est ici portée jusqu'à des extrémités qui outrepassent notre propos, mais il convient d'accorder à Shakespeare quelque licence poétique. En soi, le principe demeure valide.

Vivre en conflit avec le monde et, en particulier, avec les autres hommes, voilà qui est à la portée du premier venu ; mais sécréter le malheur tout seul, dans l'intimité de son for intérieur, c'est une autre paire de manches. On peut toujours reprocher son manque d'amour à un partenaire, attribuer les pires

17

intentions à un patron, ou mettre sa propre mauvaise humeur sur le compte du temps qu'il fait – mais comment s'y prendre pour faire de soi-même son pire ennemi ?

Les abords du malheur, comme un itinéraire fléché, sont marqués de divers poteaux indicateurs frappés au coin de la prétendue sagesse des nations. Le bon sens a présidé à leur érection, ou l'instinct immémorial, ou celui des autres noms qu'il vous plaira de donner à cette miraculeuse source d'inspiration. On ne s'inquiétera surtout pas de découvrir si, pour chacun de ces adages, il en existe en règle générale un autre qui le contredit diamétralement : « Mieux vaut tenir que courir », mais « Qui ne risque rien n'a rien », par exemple. Là n'est d'ailleurs pas la question, car il suffit d'en choisir un et un seul et de s'y tenir mordicus, d'en faire sa règle de vie, l'expression de Soi-Même, de façon à parvenir à l'absolue conviction qu'il n'existe qu'un seul point de vue valide : le sien propre. Depuis un tel poste d'observation, il deviendra vite évident que le monde ne tourne pas rond. Et nous tenons là, de surcroît, le moyen de distinguer les véritables experts des dilettantes. Ces derniers s'arrangent, au moins par moments, pour hausser les épaules avec fatalisme et poursuivre la morne tâche de vivre d'un jour sur l'autre. Mais celui qui demeure loyal envers lui-même refuse d'entrer dans d'aussi mesquins compromis. S'il faut choisir entre le monde tel qu'il est et le monde tel qu'il devrait être (choix crucial qui figure déjà dans les Upanishad), notre expert opte sans balancer pour le second, rejetant avec hor-

reur le premier. Seul maître à bord de son vaisseau que les rats ont déjà abandonné, il cingle héroïquement à travers la nuit et la tempête. On ne peut que déplorer que son répertoire de vieux adages sagaces ne renferme point celui-ci, déjà connu des Romains : *Ducunt fata volentem, nolentem trahunt* – le destin guide celui qui l'accepte et traîne celui qui le refuse.

Car, pour refuser, notre spécialiste, il refuse. Chez lui, le refus le plus obstiné finit même par devenir une obsession qui englobe tout le reste. Dans son effort pour être loyal avec lui-même, il devient l'esprit qui toujours nie, car ne pas nier serait se trahir soi-même. Le simple fait qu'un tiers lui recommande quelque chose devient la raison même de le rejeter – alors même que, en toute objectivité, son adoption serait à son avantage. (La maturité, telle que l'a définie l'un de mes collègues, est la capacité de faire quelque chose *malgré* le fait que vos parents vous l'ont recommandé.)

Mais le vrai génie s'arrange pour aller plus loin encore, avec une détermination héroïque ; il parvient même à rejeter ce qui lui apparaît à lui comme la meilleure décision – autrement dit, il sait faire la sourde oreille à la voix de sa propre raison. Ainsi le serpent, non content de se mordre la queue, finit-il par se dévorer lui-même tandis qu'est créé un état de malheur qui est au-delà de toute comparaison.

Évidemment, pour les moins doués d'entre mes lecteurs, cette misère-là demeurera un but sublime, mais à jamais inaccessible.

ses preuves et établir une relation identique avec un partenaire similaire – si différent qu'il puisse paraître à première vue.

2. *Mme Lot.*

Cette manière de vivre dans le passé présente un avantage annexe : elle ne laisse guère de temps pour s'intéresser au présent. Car c'est seulement en rivant son attention sur le passé qu'on est assuré d'échapper à ces changements de perspectives involontaires et occasionnels qui risquent parfois de faire opérer des virages à quatre-vingt-dix quand ce n'est pas à cent quatre-vingts degrés, permettant de découvrir que le présent ne renferme pas seulement de nouvelles possibilités de malheur, mais aussi de non-malheur, pour ne rien dire des possibilités absolument nouvelles. De tels coups d'œil furtifs en dehors du passé risqueraient trop facilement d'entamer la crédibilité de nos convictions pessimistes. À cet égard, c'est donc avec admiration que nous nous tournons vers notre modèle biblique, la regrettée Mme Lot. Vous vous souvenez ? (Genèse 19, 17 et 26) : les anges disent à Lot et à sa petite famille de fuir s'ils veulent sauver leur vie « mais, ajoutent-ils, ne regarde pas en arrière, et ne t'attarde pas non plus dans les plaines ; gagne les montagnes si tu ne veux pas être réduit en poudre ». Or, sa femme ne put s'empêcher de regarder en arrière et *fut muée en une statue de sel*. (En bonne justice, on se doit de supposer que les événements de Sodome et Gomorrhe étaient nettement plus passionnants que la perspective de passer son existence sur une montagne chauve – mais force est de reconnaître qu'elle s'arrangea, en définitive, pour n'avoir ni les uns ni l'autre.)

3. *Le verre de bière fatal.*

Dans un de ses films, *The Fatal Glass of Beer*, W.C. Fields, pionnier du burlesque et de la comédie américaine, nous fait assister au déclin inexorable et terrifiant d'un jeune homme plein d'avenir qui ne sait résister à la tentation de boire son premier verre de bière. On ne saurait négliger cet index brandi et sa mise en garde morale – même s'il tremble un peu sous l'effet de l'éclat de rire réprimé. Car c'est un fait : le geste est fugitif, le repentir interminable. Et quand je dis interminable ! Qu'on songe seulement à cette autre femme de la Bible, Ève, et cette petite bouchée de pomme…

Cette fatalité ne va d'ailleurs pas sans présenter d'indéniables avantages. On a trop longtemps cherché à les garder sous le boisseau et le moment est largement venu, en cet âge de lumières, de les révéler au public. Le repentir n'est pas en effet ce qui devrait retenir notre attention ici. De loin plus important pour notre propos est le fait que l'aspect irréparable et irréversible des conséquences du premier verre de bière, sans excuser tout à fait la suite, la détermine indiscutablement assez pour permettre l'attitude suivante : *jamais je n'aurais dû, mais, désormais, il est trop tard.* Le remords m'étouffe, mais je n'y puis plus rien. C'était un péché, la première fois, cette fois fatale que je regretterai toute ma vie, mais je suis devenu la victime de mon propre péché.

Nous sommes tout prêt à reconnaître que cette méthode n'est pas idéale. Cherchons donc des améliorations possibles. Et si nous étions absolument innocent de l'événement originel ? Si personne ne pouvait nous reprocher d'y avoir contribué ? Il ne fait aucun doute, dans ce cas, que je demeure une pure et innocente victime. Qu'on ose alors remettre en question mon statut de sacrifié ! Qu'on ose même me demander de remédier à mon malheur ! Ce qui fut infligé par Dieu, par le monde, le destin, la nature, les chromosomes et les hormones, la société, les parents, la police, les maîtres, les médecins, les patrons et, pis que tout, par les amis, est si injuste et cause une telle douleur qu'insinuer seulement que je pourrais peut-être y faire quelque chose, c'est ajouter l'insulte à l'outrage. Sans compter que ce n'est pas une démarche scientifique, non mais ! Le premier manuel de psychologie venu montre clairement que la personnalité est déterminée par les événements du passé, particulièrement ceux de la petite enfance. Et un enfant de dix ans vous dira que ce qui est fait est fait et ne peut être défait. Là est d'ailleurs la cause du sérieux (et de la durée) épouvantable des traitements psychologiques entrepris par des praticiens compétents*. Qu'adviendrait-il de nous si des

* Le lecteur qui aurait du mal à en juger par lui-même devrait consulter l'abondante littérature existant à ce sujet, par exemple Kubie (8).

gens sans cesse plus nombreux se persuadaient que la situation est désespérée mais qu'elle n'est pas grave ? Un seul exemple devrait nous servir de mise en garde, celui de l'Autriche d'aujourd'hui dont l'hymne national (officieux, il est vrai) est une chanson *gemütliche* qui remonte au joli temps de la peste bubonique : « Oh du lieber Augustin, alles is'hin » (dont voici une traduction fort libre : « Oh, mon Dieu, tout s'est mué en crotte »).

Il arrive, encore que très rarement, que le cours indépendant et imprévisible des événements compense de lui-même les privations et les frustrations du passé en nous laissant tomber tout rôti dans le bec ce que nous recherchions si désespérément. Mais le vrai professionnel ne se laisse pas démonter pour si peu. La célèbre formule : « Trop tard ! Je n'en ai plus envie, maintenant » lui permet de demeurer dans la tour d'ivoire de son indignation pour continuer à entretenir ses vieilles blessures en les léchant sans cesse.

Mais il est possible de faire mieux encore – avec un certain talent, il est vrai – : il suffit de rendre le passé *aussi* responsable d'un certain nombre de choses *positives* qu'on tiendra pour la cause du malheur présent. À cet égard, le génie d'un portefaix vénitien n'a jamais été dépassé. Quand les Habsbourg quittèrent Venise, notre homme se serait écrié : « Maudits soient les Autrichiens qui nous ont appris à manger trois fois par jour ! »

4. *La clé perdue ou :* « *il suffit d'insister* ».

Sous un réverbère, un monsieur visiblement éméché scrute longuement le trottoir. Survient un policier qui s'enquiert de l'objet de ses recherches. « J'ai perdu ma clé », répond l'ivrogne. Et les deux hommes se mettent à chercher ensemble. Au bout de quelques minutes, le policier s'étonne : « Vous êtes bien sûr de l'avoir perdue ici, votre clé ? » D'où la réponse pleine de logique : « Non, je l'ai laissée tomber plus loin, par là-bas, mais il fait beaucoup trop sombre. »

Absurde, dites-vous ? Mais alors, c'est que vous-même ne cherchez pas au bon endroit. Certes, la recherche n'aboutira à rien, c'est tout l'intérêt de la manœuvre. Il suffit d'insister.

Cette formule apparemment toute bête : « il suffit d'insister* », est l'une des recettes les plus assurément désastreuses mises au point sur notre planète sur des centaines de millions d'années. Elle a conduit des espèces entières à l'extinction. C'est une forme de jeu avec le passé que nos ancêtres les animaux connaissaient déjà avant le sixième jour de la création.

Différent du jeu numéro 3 qui consistait à faire porter la responsabilité du malheur à des forces échappant à notre maîtrise, ce quatrième jeu repose entièrement sur la conservation forcenée d'ajustements et de solutions qui peuvent avoir été autrefois

---

* Sous cette traduction, le lecteur familier de l'école de Palo Alto aura reconnu le fameux « plus de la même chose » (NdT).

les meilleurs, voire les seuls possibles. Les difficultés sont inéluctables parce que toutes les situations changent avec le temps. Et c'est là que commence notre jeu. D'une part, il est manifeste qu'aucun organisme ne peut réagir à son environnement au petit bonheur la chance – faisant une chose un jour, son contraire le lendemain. La nécessité vitale de l'adaptation fait apparaître des comportements spécifiques dont le but, dans l'idéal, est de permettre la meilleure survie possible sans souffrance inutile. Pour des raisons encore mal élucidées, l'homme, comme les animaux, a tendance à considérer ces solutions comme définitives, valides à tout jamais. Cette naïveté sert seulement à nous aveugler sur le fait que ces solutions sont au contraire destinées à devenir de plus en plus anachroniques. Elle nous empêche de nous rendre compte qu'il existe – et qu'il a sans doute toujours existé – un certain nombre d'autres solutions possibles, envisageables, voire carrément préférables. Ce double aveuglement produit un double effet. D'abord, il rend la solution en vigueur de plus en plus inutile et par voie de conséquence la situation de plus en plus désespérée. Ensuite, l'inconfort croissant qui en résulte, joint à la certitude inébranlable qu'il n'existe nulle autre solution, ne peut conduire qu'à une conclusion et une seule : il faut insister. Ce faisant, on ne peut que s'enfoncer dans le malheur.

L'importance de ce mécanisme pour le sujet qui nous occupe est évident. Son application est à la portée des débutants n'ayant bénéficié d'aucune formation particulière. Son usage est d'ailleurs si répandu que, depuis Freud, il assure l'existence confortable de générations de spécialistes qui ont toutefois préféré à notre « il suffit d'insister » un terme de consonance plus scientifique : *névrose*.

Mais qu'importe le terme, pourvu qu'on ait l'effet. Et l'effet est garanti aussi longtemps que l'étudiant s'en tient à deux règles simples. Premièrement, une seule solution est possible, raisonnable, autorisée, logique ; si elle n'a pas encore produit l'effet désiré, c'est qu'il faut redoubler d'effort et de détermination dans son application. Deuxièmement, il ne faut en aucun cas remettre en question l'idée qu'il n'existe qu'une solution et une seule. C'est sa mise en pratique qui doit laisser à désirer et peut être encore améliorée.

Russes et
Américains

Mais qui – demandera-t-on sans doute – pourrait adopter un comportement aussi absurde que celui de l'homme à la clé perdue ? Il sait parfaitement – et, d'ailleurs, il le dit au policier – que ce qu'il cherche ne se trouve pas là où il cherche. Certes, il est plus difficile de trouver dans l'obscurité (du passé) que dans la lumière (du présent). Mais, en dehors de cette vérité d'évidence, l'anecdote ne prouve rien.

Et pourquoi croyez-vous que l'homme est présenté comme un ivrogne, hein, gros malin ? demanderai-je, interpellant à mon tour le lecteur. C'est que, pour permettre la chute comique, il faut laisser entendre que notre homme n'est pas dans son assiette : il se conduit comme s'il ignorait quelque chose qu'il sait.

Mais examinons ce *quelque chose* de plus près. Margaret Mead est l'auteur de la devinette suivante : « Quelle est la différence entre un Américain et un Russe ? » Pour quitter une réunion mondaine qui n'est pas de son goût et se faire pardonner, l'Américain, nous dit la distinguée anthropologue, *fera semblant* d'avoir la migraine ; le Russe, lui, devra avoir réellement mal à la tête. *Ex oriente lux*, voilà tout ce que nous trouvons à dire, plein d'envie, car tout le monde tombera d'accord que la solution russe est de loin la meilleure et la plus élégante. Certes, l'Américain, lui aussi, arrive à ses fins, mais il sait qu'il ment. Le Russe reste en accord avec sa conscience. Sans savoir *comment*, il parvient à fabriquer une excuse valable dont il n'a pas besoin d'endosser la responsabilité. Cela n'est possible, pour ainsi dire, que parce que sa main droite ignore ce que fait sa main gauche.

Dans ce domaine hyperspécialisé, il semble bien que chaque génération ait produit quelques maîtres qui lui sont propres. Mais ils demeurent bien souvent anonymes et ne bénéficient que trop rarement des projecteurs de la célébrité. De nos jours, par exemple, c'est avec admiration que nous avons pu prendre connaissance dans la presse des exploits de deux hommes dont nous allons tenter de décrire brièvement les talents.

Le premier est un certain Bobby Joe Keesee qui, selon une dépêche d'United Press en date du 29 avril 1975 (7), a été condamné à vingt ans de prison pour association de malfaiteurs dans le cadre de l'enlèvement et de l'assassinat d'un vice-consul des États-Unis au Mexique. Avant de s'entendre condamner, il a fait la déclaration suivante : « Je n'ai rien à ajouter. J'ai été impliqué dans une affaire dont je me rends compte qu'elle était répréhensible. » Du seul point de vue de la sémantique, la deuxième phrase est déjà impressionnante. « J'ai été impliqué » peut aussi bien désigner une participation de propos délibéré que le résultat d'un entraînement parfaitement inconscient. Dans les deux cas, le véritable génie réside dans l'utilisation du temps présent, « je me rends compte », qui signifie manifestement qu'il sait *aujourd'hui* qu'il a fait quelque chose de très répréhensible. Autrement dit, au moment de commettre le crime, il ne s'était pas avisé que c'en était un.

Cette seule affaire ne serait pas en elle-même particulièrement remarquable. Mais poursuivons notre lecture ! Nous apprendrons qu'en 1962 Keesee déserta, vola un avion et s'envola pour Cuba. De retour aux États-Unis, cette petite escapade lui valut deux ans de prison, malgré son insistance à se présenter comme un agent de la CIA. Cette dernière nia toute participation dans l'aventure. En 1970, notre homme réapparaît parmi un groupe d'otages aux mains des guérilleros palestiniens à Amman. Puis, en 1973, à la surprise générale, le voici au nombre des prisonniers de guerre libérés par les Nord-Vietnamiens ! Les journaux, avec un certain sens de l'à-propos, le décrivent alors comme un « soldat d'infortune ». Le lecteur reconnaîtra volontiers que son style de vie suppose un talent peu commun pour se fourrer dans tous les guêpiers !

Quelle régularité, au contraire, dans le style de vie, certes moins aventureux, de Mike Maryn qui, selon un article paru dans un journal du 28 juillet 1977 (11), aurait été victime de quatre-vingt-trois agressions au cours des cinq dernières années. Il n'a pas la moindre idée du pourquoi ni du comment d'une telle série noire, ce qui confère à son aventure quelque chose de vaguement somnambulique. Il n'est ni bijoutier ni prêteur sur gages. Les agressions ont eu lieu de jour comme de nuit. Il a été attaqué par des adolescents, des hommes faits et des femmes. Piteuse, la police ne peut que balbutier une bien piètre explication : « Il se trouve au mauvais endroit au mauvais moment. »

Fort bien, direz-vous, mais cela n'explique toujours pas *comment* on peut se fourrer dans des situations du genre de celles qu'affectionnent Keesee et Maryn. C'est ce que je me propose d'expliquer maintenant.

Une histoire
de marteau

Celui-ci veut accrocher un tableau. Il possède un clou mais pas de marteau. Le voisin en a un, que notre homme décide d'emprunter. Mais voilà qu'un doute le saisit. Et si le voisin s'avisait de me le refuser ? Hier, c'est tout juste s'il a répondu d'un vague signe de tête quand je l'ai salué. Peut-être était-il pressé ? Mais peut-être a-t-il fait semblant d'être pressé parce qu'il ne m'aime pas ! Et pourquoi ne m'aimerait-il pas ? J'ai toujours été fort civil avec lui, il doit s'imaginer des choses. Si quelqu'un désirait emprunter un de mes outils à moi, je le prêterais volontiers. Pourquoi refuse-t-il de me prêter son marteau, hein ? Comment peut-on refuser un petit service de cette nature ? Ce sont les gens comme lui qui empoisonnent la vie de tout un chacun ! Il s'imagine sans doute que j'ai besoin de lui. Tout ça parce que Môssieu possède un marteau. Je m'en vais lui dire ma façon de penser, moi ! Et notre homme se précipite chez le voisin, sonne à la porte et, sans laisser le temps de dire un mot au malheureux qui lui ouvre la porte, s'écrie, furibond : « Et gardez-le votre sale marteau, espèce de malotrus ! »

Cette technique, en elle-même fort simple et guère nouvelle, permet d'obtenir des résultats étonnants. Il y a deux mille ans déjà qu'Ovide écrivait, dans son *Art d'aimer*, une défense et illustration de cette technique utilisée dans un but positif : « Convaincs-toi que tu aimes alors que tu désires vaguement. Puis crois-le [...]. Il aime comme il convient celui que son propre discours conduit à la passion. »

Ceux de mes lecteurs qui se sentent capables de suivre les conseils d'Ovide ne devraient pas avoir de mal à mettre la même technique au service du malheur. Peu de mécanismes pourraient produire un effet aussi dévastateur que celui qui consiste à affronter brusquement un partenaire qui ne se doute de rien en lui assenant la conclusion d'une longue réflexion fondée sur des postulats imaginaires et dans laquelle il joue un rôle – négatif, certes, mais fondamental. Effarement, colère, prétendue incompréhension, refus désespéré de toute culpabilité – autant de preuves concluantes du fait qu'on avait vu juste. On avait accordé sa confiance et ses faveurs à quelqu'un qui n'en était pas digne. Une fois encore, on s'est fait avoir, on s'est montré trop bon – une poire.

Mais cette technique, comme toutes les autres, fait courir à celui qui l'utilise le risque de tomber sur plus fort que lui. Le sociologue Howard Higman, de l'université du Colorado, a découvert, nous dit-on, une forme particulière de communication, qu'il a baptisée « particulière-non-particulière ». Selon un exemple, fourni par Henry Fairlie dans *The New Republic* (2), les épouses ont ainsi tendance à faire passer leur conjoint d'une pièce à l'autre du foyer en vociférant des questions du genre de : « Qu'est-ce que c'est que ces machins-là ? » Elles s'attendent que leur époux vienne se rendre compte par lui-même de ce dont elles peuvent bien parler. Leur attente est rarement déçue. Mais un mari décida toutefois de se défendre. Sa femme, rentrant à la maison pendant qu'il était au travail dans son bureau, lui cria : « Est-ce qu'ils sont arrivés ? » Sans avoir la moindre idée de ce dont il s'agissait, il s'aventura à répondre « Oui ! » « Et où les as-tu mis ? » « Avec les autres ! » Pour la première fois depuis des années, le reste de sa journée de travail s'écoula sans aucune interruption de la part de son épouse.

Mais revenons à Ovide, ou plutôt à ses successeurs. Le premier qui vient à l'esprit est évidemment le pharmacien Émile Coué (1857-1926), fondateur d'une école d'autosuggestion dont les adeptes étaient invités à se répéter sans relâche que « chaque jour et dans chacun de leurs aspects, les choses ne cessent de s'améliorer ». On voit d'emblée que le propos du potard était à l'inverse du nôtre, mais le plus médiocre talent devrait suffire à basculer la méthode Coué cul par-dessus tête pour la faire servir à la poursuite du malheur.

Ainsi armé, nous voici enfin en position de passer à l'examen des applications pratiques. Nous avons compris que la capacité indispensable d'empêcher la main droite de savoir ce que fait la gauche peut être apprise. À cette fin, une série d'exercices a été mise au point, que je vais maintenant exposer.

Exercice 1. Confortablement installé dans un

fauteuil, de préférence muni de vastes accoudoirs, on ferme les yeux et on imagine que l'on mord dans une grande tranche de citron bien juteuse. Avec un peu de pratique, ce citron imaginaire doit faire venir l'eau à la bouche.

Exercice 2. Toujours assis dans le fauteuil, les yeux clos, faire passer sa pensée du citron aux souliers que l'on porte. Il ne devrait pas s'écouler un temps très long avant que l'on commence à se rendre compte, pour la première fois de sa vie peut-être, que le port de souliers est éminemment inconfortable. Même si l'on croyait jusqu'à cet instant posséder des souliers parfaits, on ne tarde pas à prendre conscience d'innombrables défauts désagréables – points de pression, friction, torsion des orteils, lacets trop serrés, chaleur, froid et ainsi de suite. On répétera l'exercice jusqu'à ce que le port de souliers, de nécessité banale qu'il était jusqu'alors, se transforme en insupportable corvée. On achètera une paire de souliers neufs pour constater que, quelque soin qu'on ait apporté à les choisir de la bonne pointure, ils ne tardent pas à produire les mêmes désagréments que les précédents.

Exercice 3. Toujours assis, regarder le ciel par la fenêtre. Avec un peu de chance, on verra bientôt apparaître dans son champ visuel une myriade de cercles minuscules semblables à des bulles. Si l'on garde le regard fixé droit devant soi, on constate que les bulles descendent lentement ; pour peu que l'on cligne des yeux, elles remontent précipitamment. On remarquera de surcroît que ces bulles semblent croître en nombre et en taille si l'on concentre sa pensée sur elles. Aurait-on contracté quelque affection oculaire sournoise ? La vue souffrirait indiscutablement de l'envahissement progressif du champ visuel par ces bulles. On consulte alors un ophtalmologiste. Ce spécialiste s'efforcera d'expliquer qu'il s'agit d'un phénomène banal et inoffensif qui ne mérite pas d'inquiéter, ce sont des phosphènes. Tenter alors de se convaincre que le pauvre homme était au lit avec les oreillons quand cette maladie fut étudiée du temps de son passage en Faculté ou encore que, par pure bonté d'âme, ce spécialiste ne souhaite pas désespérer un patient en lui révélant brutalement le caractère incurable de sa maladie.

Exercice 4. Pour ceux qui auraient du mal à atteindre l'objectif fixé par l'exercice 3, la situation n'est pas désespérée : les oreilles offrent une occasion comparable. On s'enfermera dans une pièce calme. Au bout de quelques instants, on devrait prendre conscience d'un bourdonnement, d'un sifflement, ou de quelque autre bruit également monotone. Dans les situations ordinaires de la vie quotidienne, ce bruit de fond n'est pas perçu, masqué par le vacarme général qui nous entoure. En y prêtant suffisamment d'attention, on l'entendra toutefois de plus en plus fréquemment et de plus en plus fort. Aller consulter. À partir de là, agir comme pour l'exercice 3. Une seule différence : le praticien tentera de minimiser le mal en le baptisant cette fois « acouphène » !

(Note à l'intention des étudiants en médecine : vous pouvez vous dispenser entièrement des exercices 3 et 4 dans la mesure où vous êtes déjà plongés dans la recherche en vous-mêmes des quelque cinq mille symptômes qui forment la base de la seule médecine interne – pour ne rien dire des autres spécialités médicales.)

Exercice 5. On est désormais suffisamment entraîné, et manifestement assez talentueux, pour passer du corps au monde extérieur. On commencera par les feux réglant la circulation. On aura sans doute déjà remarqué leur tendance à demeurer au vert tant qu'on en est éloigné, pour passer brusquement à l'orange puis au rouge à l'instant même où l'on s'en approche. Si l'on parvient à résister à la voix de la raison, qui souffle qu'en moyenne on doit rencontrer à peu près autant de feux verts que de rouges, on est sur la bonne voie. Il ne reste plus, sans trop savoir comment, qu'à s'arranger désormais pour additionner tous les nouveaux feux rouges à ceux qui ont déjà contraint à s'arrêter dans le passé, tandis que les feux verts cesseront tout bonnement d'impressionner la conscience. Très vite, un soupçon prendra corps dans l'esprit : on se heurte à des pouvoirs hostiles et inconnus dont les manigances, loin d'être limitées au territoire de la ville, voire de la région dont on est originaire, ont la faculté de suivre partout leur victime, fût-ce à Oslo ou à Los Angeles. Ceux d'entre les lecteurs qui ne conduisent pas pourront découvrir que leur file d'attente à la poste ou à la banque est toujours celle qui avance le plus lentement ou que leur avion décolle toujours de la porte d'embarquement la plus éloignée du comptoir d'enregistrement.

Exercice 6. On est désormais conscient des liens

bizarres, dignes d'éveiller les soupçons, qui existent entre des événements d'apparence banale. Le moment est venu de noter les relations menaçantes qui tissent un réseau remarquable entre des faits qui échappent totalement au regard terne et routinier que la plupart des gens jettent sur le monde. Qu'on examine soigneusement sa porte d'entrée, jusqu'à y découvrir telle égratignure suspecte qu'on n'avait encore jamais remarquée. Qu'on réfléchisse à sa signification : est-ce la marque d'un voleur, le résultat d'une tentative de cambriolage avortée, un dommage infligé par quelque ennemi inconnu, un signe de reconnaissance, un symbole apposé là pour distinguer les lieux dans on ne sait quelle intention malveillante ? Ici encore, on résistera à la tentation de hausser les épaules et d'oublier tout ça ; mais, d'un autre côté, on se gardera d'aller au fond des choses. Ce serait une erreur. Le problème sera traité de manière purement abstraite et intellectuelle, car l'épreuve de la réalité serait néfaste à cet exercice et l'empêcherait de produire l'effet recherché (on trouvera un développement sur ce danger au chapitre suivant).

Une fois que le lecteur aura mis au point son style personnel et que son regard aiguisé saura discerner les relations bizarroïdes et mystérieuses, il ne tardera pas à remarquer à quel point incroyable nos vies quotidiennes sont entremêlées de coïncidences effarantes et bien improbables. En même temps, il s'en remettra de plus en plus souvent et avec plus de confiance à son pouvoir de les discerner. Un simple exemple, choisi parmi les plus neutres possibles : À l'arrêt d'autobus, vous lisez un journal pour tromper votre attente, mais, de temps en temps, vous jetez un coup d'œil vers le bout de la rue dans l'espoir de voir apparaître la voiture attendue. Brusquement, un sixième sens vous avertit : « Le voilà ! » et effectivement, en levant les yeux, tout au bout de la rue, vous apercevez l'autobus ! Remarquable, n'est-ce pas ? Et, pourtant, ce n'est qu'un infime exemple des pouvoirs de quasi-voyance qui ont commencé à cristalliser en vous et vous servent surtout à discerner les signes menaçants ou dangereux.

Exercice 7. Dès que l'on aura acquis la certitude qu'il se trame quelque chose de suspect, on s'en ouvrira à ses amis et aux membres de son entourage, y compris le facteur si on l'estime nécessaire. Il n'est pas de meilleure méthode pour apprendre à connaître ses vrais amis et à les distinguer des loups déguisés en agneaux qui font sans doute partie du complot. Malgré toute leur habileté, et peut-être même à cause d'elle, ces derniers ne peuvent que se démasquer en tentant de convaincre leur interlocuteur que ses soupçons sont mal fondés et qu'il ne se passe rien du tout. On ne se laissera évidemment pas surprendre par une telle attitude, car il va sans dire que toute personne désireuse de nous nuire en sousmain ne s'amusera pas à le reconnaître ouvertement. Bien au contraire, elle cherchera, dans son hypocrisie, à détourner l'attention de sa victime des soupçons que celle-ci avait pu former en les déclarant infondés et en multipliant les protestations d'amitié et de bonne volonté. De cette manière, on ne connaîtra pas seulement l'identité des différents comploteurs, mais on aura vite acquis la certitude qu'il y a bel et bien anguille sous roche – sinon, pourquoi de soi-disant amis déploieraient-ils de tels efforts pour nous convaincre du contraire ?

Les lecteurs qui auront dûment mis en pratique ces quelques exercices découvriront que le Russe de Margaret Mead, l'homme au marteau et des génies naturels comme Keesee et Maryn partagent en défi-nitive avec l'homme de la rue leur capacité de créer une situation tout en demeurant parfaitement incons-cients de l'avoir fait. Un peu d'entraînement suffit donc pour acquérir la certitude qu'on est livré sans défense à des pouvoirs qui échappent à toute maî-trise et que l'on a donc tout loisir de souffrir par eux sans retenue.

Une petite mise en garde est toutefois nécessaire.

Pour une poignée
de haricots

L'accès à des niveaux supérieurs de conscience n'est, hélas ! pas aussi facile que le chapitre précédent risque de l'avoir donné à penser. L'échec est toujours possible et le risque le plus sérieux est assez bien illustré par l'anecdote suivante.

Sur son lit de mort, une jeune femme arrache à son mari la promesse de ne plus jamais aimer d'autres femmes. S'il manquait à sa parole, son fantôme reviendrait le persécuter sans fin.

Au début de son veuvage, notre homme tient parole, mais les mois passent et il finit par faire la connaissance d'une femme dont il tombe amoureux. Peu après, un fantôme du sexe féminin commence de lui apparaître chaque nuit pour l'accuser d'avoir rompu son serment. Le spectre non seulement connaît tous les détails de ce qui se passe entre l'homme et sa bien-aimée mais encore est au fait des pensées, des espoirs et des sentiments les plus secrets du malheureux. La situation devenant vite intolérable, l'homme s'en va consulter un maître zen et solliciter son aide.

Or, ce maître n'est pas un enfant de chœur. Il sait,

semble-t-il, qu'il serait inutile de chercher à convaincre cet homme de l'inexistence des fantômes, inutile de lui dire que tout cela se passe dans sa propre tête et ainsi de suite. Non. Il y a mieux à faire. Quand le spectre reviendra, conseille-t-il, que l'homme loue son intelligence, puis, saisissant une poignée de haricots, qu'il lui demande, puisqu'il semble tout savoir, s'il sait aussi le nombre exact de haricots qu'il tient dans sa main fermée. Si l'apparition était incapable de répondre à la question, notre homme saurait qu'elle n'était que le produit de son imagination et, ainsi, il serait délivré.

La nuit suivante, le fantôme apparaît comme à l'accoutumée et l'homme entreprend aussitôt de le flatter.

« C'est vrai, dit le spectre, je sais vraiment tout – je sais même que tu es allé consulter ce maître zen ! »

« Ma foi, répond l'homme, puisque tu es si savante, dis-moi combien de haricots j'ai dans la main. »

Le fantôme disparut et ne reparut plus jamais (18).

Telle est la difficulté que j'avais déjà présente à l'esprit plus haut lorsque, décrivant l'exercice 6, je mettais en garde contre l'épreuve de la réalité. Par conséquent, à supposer que le désespoir et l'insomnie finissent par vous pousser dans le cabinet d'un des équivalents modernes des maîtres zen, ayez soin d'en choisir un qui soit suffisamment prévenu contre la réalité et ses conséquences grisâtres. Allez voir un descendant de Mme Lot, que sa formation encourage à jouer avec vous le jeu numéro 2 avec le passé (cf. p. 23), c'est-à-dire à s'embarquer dans la quête pratiquement infinie des causes dans votre passé, remontant jusqu'à la petite enfance et au-delà.

La poudre
anti-éléphants

Après ces chapitres consacrés à l'acquisition et au perfectionnement progressif de la capacité d'empêcher la main droite de savoir ce que fait la gauche, nous allons passer à l'étude de la technique diamétralement opposée – celle qui consiste non plus à *créer* des difficultés, mais bien à les *éviter* afin de permettre leur perpétuation.

Le mécanisme fondamental de ce que nous appellerons la conduite d'évitement est tout entier contenu dans l'anecdote du vieux monsieur qui, dans le train entre Vannes et Angers, ouvrait la fenêtre toutes les dix minutes pour jeter un peu d'une poudre mystérieuse qu'il tirait d'une manière de tabatière d'ivoire. « Qu'est-ce que c'est que cette poudre ? » finit par s'enquérir un voyageur intrigué par ce manège. « C'est une poudre anti-éléphants de mon invention », répond le vieil homme. « Mais, voyons, il n'y a pas d'éléphants entre Vannes et Angers ! » « Eh, pardi, rétorque le vieillard, c'est que ma poudre est efficace ! »

La morale de cette histoire est que, en évitant une situation ou une difficulté que l'on redoute, on risque, tout en ayant l'air de choisir la solution la plus simple et la plus raisonnable, de perpétuer la situation ou la difficulté que l'on redoute. Ce double effet de la conduite d'évitement en fait l'une des plus éminemment utiles à notre propos. Pour bien le montrer, un autre exemple suffira : Supposons un cheval qui reçoit un choc électrique dans un de ses sabots par l'intermédiaire d'une plaque métallique dissimulée dans le plancher de son écurie. Si, avant chaque choc, on fait retentir une sonnerie, l'animal semble établir, assez rapidement, un rapport causal entre la sonnerie et la sensation désagréable. Désormais, chaque fois que la sonnerie retentit, il lève le sabot – manifestement pour éviter le choc électrique. Une fois cette relation de cause à effet entre les deux événements bien établie, le choc électrique cesse d'être utile. La sonnerie seule suffit à provoquer le mouvement de la jambe pour soulever le sabot. Et, qui plus est, chacune de ces conduites d'évitement paraît renforcer, chez l'animal, la « conviction » qu'en soulevant le sabot il évite un choc désagréable. Ce que le cheval ignore, ce que sa conduite d'évitement l'empêche *à tout jamais* de savoir, c'est que le danger a cessé d'exister*.

Attention, il ne s'agit pas ici d'une simple superstition. Les conduites superstitieuses sont d'une irrégularité bien connue qui les rend pratiquement sans valeur, alors que les conduites d'évitement sont

---

* Signalons en passant qu'à l'extrême opposé de la conduite d'évitement il y a la quête romantique de l'Oiseau bleu. Si l'évitement perpétue la difficulté, la croyance en l'existence (nullement prouvée) de l'Oiseau bleu perpétue la quête.

dignes de la confiance entière de tous les quêteurs du malheur. La mise en pratique de cette technique est d'ailleurs plus simple qu'il n'y paraît à première vue. Car elle n'est pour une bonne part que la mise en pratique cohérente du bon sens – et que pourrait-il y avoir de plus raisonnable ?

Car, enfin, il n'est pas permis de douter qu'un grand nombre de nos activités les plus banalement quotidiennes recèle un élément de danger. Quelle quantité de risques doit-on accepter d'encourir ? La raison et le bon sens nous soufflent de réduire cette quantité au minimum, voire à néant si c'est possible. Les plus audacieux d'entre nous considéreraient la boxe professionnelle ou le trapèze volant comme présentant trop de risques. La conduite automobile ? Qu'on songe au nombre de gens qui sont tués ou estropiés à vie dans des accidents de la circulation chaque jour ! La marche à pied elle-même recèle des dangers qui ne tardent pas à se révéler sous le regard perspicace de la raison. Les voleurs à la tire, les fumées d'échappement, les immeubles qui s'effondrent soudain, les fusillades entre braqueurs de banques et policiers, les fragments incandescents de navires spatiaux, russes ou américains, qui rentrent dans l'atmosphère – la liste est longue et pourrait s'allonger à plaisir, et seuls un imbécile inconscient ou un fou s'exposeraient aveuglément à de tels risques. Il est incontestablement plus sûr de se calfeutrer chez soi. Mais la sécurité même du foyer est toute relative. Les escaliers, la gamme bien connue des périls de la cuisine et de la salle de bains, les sols glissants et les tapis qui gondolent, les couteaux, les fourchettes, pour ne rien dire du gaz, de l'eau chaude ou de l'électricité... La seule conclusion raisonnable serait de garder le lit. Mais quelle protection le lit offrirait-il en cas de tremblement de terre ? Et comment lutter contre les escarres ?

Mais j'exagère. Seuls de très rares individus, vraiment doués, sauront se montrer assez raisonnables pour prévoir *tous* les dangers imaginables – y compris la pollution de l'air, la contamination de l'eau potable, le cholestérol, les triglycérides, les substances alimentaires carcinogènes et des centaines d'autres menaces et fléaux – et s'en prémunir.

Le citoyen moyen n'accède généralement pas à cette vision totalisante des dangers imaginables et inimaginables, ni, s'ingéniant à les éviter, au statut d'invalide à cent pour cent. Nous autres, esprits de moindre envergure, devons nous contenter d'une réussite partielle. Sachons éviter les pièges du perfectionnisme. Des résultats plus modestes peuvent être fort satisfaisants, surtout lorsqu'ils sont fondés sur l'application d'un véritable concentré de raison et de bon sens à des problèmes mineurs. Les couteaux peuvent blesser, il est donc sensé de s'en méfier ; les poignées de porte sont incontestablement couvertes de bactéries. Qui pourrait jurer qu'il n'aura pas besoin d'aller aux toilettes au beau milieu d'un concert symphonique ? Ou qu'il n'a pas ouvert sa porte en croyant la fermer à double tour ? Un homme vraiment raisonnable évitera donc les couteaux bien aiguisés, ne touchera les poignées de porte et autres becs-de-cane qu'après avoir enfilé des gants, n'ira jamais au concert et s'y reprendra à plusieurs fois pour bien se convaincre que sa porte est fermée à clé.

Tout cela est aisé, mais recèle un danger de tous les instants, celui de perdre peu à peu de vue le problème. L'anecdote suivante illustre bien la manière d'échapper à ce danger.

Une vieille fille dont la maison se dresse au bord de la rivière vient se plaindre à la police : une bande de gamins a pris l'habitude de venir se baigner devant sa porte dans le plus simple appareil. Le commissaire envoie l'un de ses hommes enjoindre aux enfants de pratiquer plus loin leurs ébats aquatiques. Le lendemain, la vieille fille revient se plaindre : elle les voit encore. Le policier retourne voir les petits baigneurs pour qu'ils s'éloignent plus encore vers l'amont. Deux ou trois jours plus tard, la vieille fille est de retour au commissariat et fulmine : en montant sur le toit de sa demeure, et avec une bonne paire de jumelles, elle peut encore voir les petits impudents !

Demandons-nous maintenant ce que fera la vieille fille quand les gamins seront réellement et indiscutablement hors de sa vue. Peut-être se lancera-t-elle dans de longues randonnées pédestres vers l'amont du cours d'eau. Peut-être se contentera-t-elle de savoir que *quelque part* se commet probablement un attentat à la pudeur. Une chose est sûre : cette idée continuera de lui hanter l'esprit. Et c'est cela, seulement cela, qui compte.

Pourtant, il y a plus important encore : une idée,

pour peu qu'on s'y accroche avec une conviction suffisante, qu'on la caresse et la berce avec soin, finira par produire sa propre réalité. Examinons maintenant ce phénomène éminemment utile.

Je l'avais bien dit !

Dans le journal du jour, votre horoscope vous met en garde (vous et les quelque trois cents millions de personnes qui sont nées sous le même signe) contre l'éventualité d'un accident. Et ça ne rate pas, vous glissez et vous faites une chute. Tant crie-t-on Noël qu'il vient !… L'astrologie, ce n'est pas si creux que ça, en définitive…

Mais est-ce bien sûr ? Pourriez-vous jurer que vous seriez tombé si vous n'aviez pas lu cette prédiction ? Ou si vous étiez entièrement convaincu de la parfaite inanité de l'astrologie ? Après coup, il n'est évidemment pas possible, hélas ! de répondre à la question.

Le philosophe Karl Popper a exposé l'idée intéressante que – pour présenter les choses de manière assez simpliste – ce sont les actes mêmes par lesquels Œdipe cherche à *éviter* l'accomplissement de l'effroyable prophétie qui aboutissent à la fatale vérification de l'oracle.

Nous rencontrons ici un nouvel effet possible des conduites d'évitement : dans certaines circonstances elles peuvent amener ce qu'elles avaient précisément pour but de prévenir et d'éviter. À quelles circonstances pensons-nous ? D'abord, il faut qu'il y ait prédiction au sens le plus large de ce terme, c'est-à-dire attente, préoccupation, croyance, conviction ou tout simplement soupçon que les choses vont suivre un certain cours plutôt que tout autre. À cet égard, il est apparemment dépourvu d'importance que cette attente soit créée en nous par des croyances ou des suggestions transmises par autrui, ou née de nos propres convictions en notre for intérieur. Deuxièmement, l'attente ainsi créée ne doit en aucun cas être perçue comme celle d'une simple possibilité, mais bien plutôt comme l'annonce digne de foi d'un événement imminent, exigeant une conduite d'évitement immédiate. Troisièmement, cette dernière supposition sera d'autant plus évidente qu'elle sera partagée par un grand nombre de gens, d'autant plus convaincante qu'elle contredira moins le sens commun, les règles sociales ou l'expérience passée.

C'est ainsi qu'il suffit, par exemple, de parvenir à la conviction – qu'elle soit objectivement justifiée ou parfaitement absurde – que les gens chuchotent dans notre dos et se moquent de nous en secret. Sur la base de ces « faits », le bon sens nous dictera désormais de nous méfier de ces gens. Et puisqu'ils déguisent leurs actes sous un voile de secret relativement mince, nous serons bien avisés d'être sur nos gardes et de les avoir à l'œil jusque dans leurs actions les plus infimes. Avec de telles données de départ, ce n'est plus qu'une question de temps, on finira forcément par les surprendre un jour en train de chuchoter, d'étouffer de petits rires et d'échanger des clins d'œil et des hochements de tête de conspirateurs. La prophétie se sera réalisée, on pourra triompher (amèrement) : « Je l'avais bien dit ! »

La réussite est assurée tant que l'on parvient à demeurer inconscient de sa propre contribution à l'évolution de la situation. C'est précisément ce que nous avons appris à faire au cours des chapitres précédents. Une fois que ce jeu de relations interpersonnelles se sera poursuivi un certain temps, il deviendra sans importance (et d'ailleurs impossible) de vérifier qui a commencé : est-ce notre propre comportement soupçonneux qui a, par son ridicule, induit celui de notre entourage, ou l'attitude de ce dernier qui a éveillé nos soupçons ?

Ces prédictions qui se vérifient d'elles-mêmes possèdent un pouvoir véritablement magique de créer une « réalité » et sont donc de toute première importance pour notre propos. Elles doivent prendre une place de choix dans la panoplie de tous ceux qui recherchent le malheur à titre individuel, mais aussi dans le cadre plus large de la société prise comme un tout. L'histoire montre, par exemple, que si les membres d'une quelconque minorité, sociale ou ethnique, se voient perpétuellement interdire l'accès à certaines formes d'activités « honnêtes » (agriculture, artisanat, etc.) parce que la majorité les considère comme malhonnêtes, paresseux, avides et, par-dessus tout, « différents », ils seront contraints d'assurer leur subsistance en devenant chiffonniers, prêteurs sur gages, contre-bandiers, etc. S'ils se lancent dans ces activités, c'est évidemment parce qu'ils constituent le rebut de la société qui a donc toutes les raisons de leur interdire les activités des «braves gens». Plus la municipalité multipliera les «stop», plus il y aura d'infractions au code de la route, justifiant la mise en place de nouveaux «stop» pour faire échec aux chauffards. Plus un pays se sentira menacé par son voisin, plus il s'armera, convainquant ainsi le voisin de prendre des mesures «défensives» qui seront perçues comme autant de preuves supplémentaires de son humeur belliqueuse. La guerre (à laquelle tout le monde finit par s'attendre) n'est plus alors qu'une question de temps. Plus on augmentera les impôts pour compenser des fraudes fiscales (réelles ou imaginaires), plus les citoyens les plus honnêtes tendront à tricher dans leurs déclarations. Toute prédiction d'une pénurie (fondée ou non) de tel bien de consommation entraîne immédiatement la constitution par les ménages de stocks qui créent la pénurie annoncée.

La prédiction d'un événement a pour résultat de faire arriver ce qu'elle a prédit. Il faut et il suffit, comme nous l'avons dit plus haut, que nous nous convainquions ou nous laissions convaincre par d'autres de l'imminence d'un événement que nous considérons comme parfaitement indépendant de notre volonté*. Très semblables à Œdipe, nous par-

---

* C'est peut-être là précisément la raison pour laquelle les séances de spiritisme et les expériences de perception extrasensorielle échouent «forcément» lorsqu'un incrédule y assiste.

venons alors avec précision au résultat que nous cherchions à éviter.

Mais les vrais spécialistes savent aussi éviter d'arriver ! C'est ce que nous allons voir maintenant.

Gardez-vous d'arriver

Mieux vaut voyager plein d'espoir qu'arriver au but, nous dit la sagesse japonaise. Et les Japonais ne sont pas les seuls qui se méfient de l'aboutissement. Lao-tseu recommandait déjà l'oubli de la tâche une fois qu'elle était accomplie. Et Shakespeare écrit, dans son 129e sonnet :

> N'en ayant pas sitôt joui on le méprise,
> Ce pourquoi l'on ardait, sitôt qu'on l'a eu,
> On le hait, comme l'appât gobé
> À dessein offert pour affoler le gobeur*...

Et l'on pense à Oscar Wilde et à son aphorisme célèbre et souvent plagié – il est deux tragédies dans l'existence : l'une est de ne pas réaliser son rêve ; l'autre est de le réaliser. Le *Séducteur* de Hermann Hesse (dans le poème qui porte ce titre) implore en ces termes la personnification de ses désirs : « Résiste-moi, jolie femme, boutonne bien ta robe ! Enchante-moi, tourmente-moi – mais ne

* Traduction originale.

61

m'accorde pas tes faveurs » – car il sait fort bien que « la réalité détruit le rêve ». Moins poétiquement, mais dans un esprit beaucoup plus concret que Hermann Hesse, son contemporain Alfred Adler s'est débattu avec ce problème. Son œuvre – dont la re-découverte se fait attendre – traite pour une bonne part du style de vie de l'éternel voyageur qui prend grand soin de n'arriver jamais.

Pour décrire son idée fondamentale, non sans la simplifier considérablement, les règles de ce jeu avec l'avenir sont les suivantes : on considère en général qu'arriver – au sens littéral comme au sens métaphorique – est l'un des principaux critères de la réussite, du pouvoir et de l'estime de soi. D'un coureur cycliste on dira : « il était à l'arrivée » ; d'un ambitieux sans scrupule : « c'est un arriviste », etc. Du même coup, échec et nonchalance sont considérés comme signes de bêtise, de paresse, d'irresponsabilité ou de lâcheté. Pourtant, la route du succès est pénible car elle requiert beaucoup d'efforts – et l'effort le plus intense risque encore de connaître l'échec. Qui voudrait se donner tant de mal pour rien ? C'est pourquoi, plutôt que de s'engager dans une « politique des petits pas » en direction d'un quelconque objectif raisonnable et accessible, il est fort utile de se fixer un but sublime. Mes lecteurs devraient être désormais en mesure de saisir d'emblée les avantages d'une telle stratégie. La recherche faustienne du savoir et de la puissance, la quête de l'Oiseau bleu, le renoncement ascétique aux satisfactions les plus terre à terre de l'existence emportent généralement l'approbation enthousiaste de la société (et l'admiration maternelle !). Mais il y a plus : si le but est prodigieusement élevé et lointain, les plus bêtes comprendront que le chemin sera long et pénible et que le voyage exigera des préparatifs eux-mêmes interminables dans leur minutie. Personne n'osera donc nous jeter la pierre si nous ne nous sommes pas encore mis en chemin ou si nous nous sommes perdus en route, ou encore si nous tournons en rond ou nous accordons une halte pour reprendre notre souffle. L'histoire, la littérature abondent en exemples prestigieux et héroïques de chercheurs égarés dans des labyrinthes ou échouant tragiquement dans l'accomplissement de quelque tâche surhumaine. Ils nous permettent, à nous autres chercheurs de moindre acabit, de nous abriter derrière leur gloire. Mais ce n'est point là toute l'affaire. Même quand le but est particulièrement sublime, le fait de l'atteindre recèle en soi un danger spécifique, commun dénominateur des citations par lesquelles s'ouvrait ce chapitre, à savoir le désenchantement qui résulte de la réussite. C'est un danger que, consciemment ou inconsciemment, l'amateur de malheur connaît bien. Tout porte à croire que le créateur de notre monde l'a organisé de manière que le but inaccessible paraisse infiniment plus désirable, romanesque et extatique que le but atteint. Ne nous y trompons pas : la lune de miel perd vite de sa douceur ; sitôt arrivés dans cette cité lointaine et exotique nous nous faisons escroquer par un chauffeur de taxi ; la réussite aux examens de fin d'études n'apporte guère que de nouvelles complications et responsabilités, et la prétendue sérénité de la vie du retraité est un morne ennui qui a déjà hâté plus d'une fin.

Billevesées, s'écrieront les plus entreprenants d'entre nous : quiconque est prêt à se contenter d'un idéal aussi tiède et anémié mérite de se retrouver les mains vides à la fin. Mais qu'en est-il de la passion qui se surpasse elle-même dans la culmination orgiastique ? Qu'en est-il de la rage sacrée qui conduit à l'ivresse de la vengeance pour les outrages subis et à l'exaltation du retour à la justice universelle ? Qui oserait, devant de telles satisfactions, parler de désenchantement ?

Ce n'est, hélas ! pas ainsi que tournent les choses. Ceux qui n'en sont pas convaincus seraient bien avisés de se reporter à ce qu'avait à dire un auteur aussi compétent que George Orwell dans un essai intitulé *Revenge is Sour* (la vengeance est amère) (13). Cet essai renferme des considérations d'une si profonde dignité humaine et d'une si grande sagesse qu'il est assez malséant de le mentionner dans un manuel destiné à la poursuite du malheur. J'espère que mes lecteurs voudront bien me pardonner de les citer tout de même, ne serait-ce qu'en raison de leur extrême pertinence à l'égard du sujet qui nous occupe.

En 1945, correspondant de guerre, Orwell eut l'occasion de visiter un camp de prisonniers de guerre dans le sud de l'Allemagne. Un jeune juif viennois, chargé des interrogatoires, lui servit de guide. Ils pénétrèrent dans une division spéciale où n'étaient détenus que de hauts responsables de la SS. Le jeune homme décocha en passant un coup de son lourd godillot militaire sur le pied déjà grotesquement enflé d'un des prisonniers. L'homme avait occupé des fonctions équivalentes à celles d'un général dans l'organisation politique de la SS.

« On pouvait considérer comme avéré qu'il avait eu la responsabilité de camps de concentration et avait donc couvert des tortures et des pendaisons. Bref, il représentait tout ce contre quoi nous nous battions depuis cinq ans [...].

« Il serait absurde de reprocher à un juif, autrichien ou allemand, de vouloir se venger des nazis. Dieu sait ce que les griefs de cet homme-là en particulier pouvaient être, quels comptes il avait à régler ; très vraisemblablement, sa famille entière avait été assassinée ; et, d'ailleurs, un coup de pied décoché en passant à un prisonnier est vraiment bien minuscule comparé aux atrocités du régime hitlérien. Mais ce que cette scène, comme bien des choses vues en Allemagne, m'a permis de comprendre, c'est que la notion même de vengeance et de punition n'est qu'une rêverie puérile. À proprement parler, la vengeance n'existe pas. La vengeance est un acte que l'on brûle de commettre alors que l'on est impuissant et parce que l'on est impuissant : dès que le sentiment d'impuissance disparaît, le désir de vengeance s'évapore avec lui.

« Qui n'aurait sauté de joie, en 1940, à la seule idée de voir des responsables SS humiliés et bourrés de coups de pied ? Mais quand la chose devient possible, elle n'est plus que dérisoire, pitoyable et dégoûtante. »

Puis, dans le cours du même essai, Orwell nous raconte comment il est entré dans Stuttgart sitôt après la chute de cette ville, en compagnie d'un correspondant de guerre belge. Le Belge – qui pourrait l'en blâmer ? – était encore plus anti-allemand que l'Anglais ou l'Américain moyens.

« … il nous fallut emprunter une petite passerelle que les Allemands avaient, selon toute apparence, chèrement défendue. Le cadavre d'un soldat allemand gisait au pied des marches. Son visage était d'un jaune cireux […].

« Le Belge détourna la tête quand nous passâmes. Quand la passerelle fut loin derrière nous, il me confia que c'était la première fois qu'il voyait un mort. J'imagine qu'il devait avoir dans les trente-cinq ans et cela faisait quatre ans qu'il faisait de la propagande de guerre à la radio. »

Mais cette expérience sera décisive pour le Belge. Elle va bouleverser son attitude à l'égard des « Boches » :

« Quand nous partîmes, il laissa le reste du café que nous avions apporté avec nous aux Allemands chez lesquels on nous avait logés par réquisition. Une semaine plus tôt, il se fût probablement scandalisé à l'idée de laisser du café à un "Boche". Mais ses sentiments avaient, me dit-il, changé à la vue de "ce pauvre mort" près de la passerelle : il avait brusquement compris le sens de la guerre. Et pourtant, si

nous étions entrés dans Stuttgart par un autre itinéraire, il aurait peut-être échappé à cette expérience :
la vue d'un cadavre – sur les vingt millions, peut-
être – que la guerre a produits*. »

Mais revenons à notre sujet proprement dit. Si la
vengeance elle-même n'est pas un plaisir, il doit être
moins plaisant encore d'atteindre un but que l'on
supposait heureux. C'est pourquoi, je le répète :
Gardez-vous d'arriver. (Et d'ailleurs, j'y pense,
pourquoi Thomas More a-t-il baptisé sa lointaine île
du bonheur *Utopia* – littéralement, *Nulle part* ?)

* Traduction originale.

Si tu m'aimais vraiment,
tu aimerais l'ail

« L'enfer, c'est les autres » – cette réplique de la dernière scène de *Huis clos* a fait fortune et si mes lecteurs estiment que je n'ai pas assez tenu compte de cette idée de Jean-Paul Sartre, me cantonnant à la recherche du malheur par l'individu lui-même, artificiellement isolé des autres, ils n'ont pas tort. Le moment est venu d'explorer, pour nous familiariser avec lui, l'enfer baroque des relations humaines et de tenter de tirer les leçons du savoir-faire des Professionnels de la Démolition des Relations (que nous désignerons désormais par les seules initiales PDR).

Tentons d'aborder notre sujet avec un minimum de méthode. Voilà soixante-dix ans que Bertrand Russell insistait déjà sur la nécessité d'une stricte séparation entre les déclarations sur les choses et les déclarations sur les relations. « Cette pomme est rouge » est une déclaration sur les propriétés de cette pomme en particulier. Mais « Cette pomme est plus grosse que celle-ci » est une déclaration sur la relation existant *entre* ces pommes. Elle n'aurait aucun sens appliquée séparément à l'une ou à l'autre des deux pommes, car la proposition *plus grosse que* n'est pas centrée en l'une d'elles, mais bien sur la relation qui les lie l'une à l'autre.

Anthropologue et chercheur dans le domaine de la communication, Gregory Bateson s'est servi de cette importante distinction et l'a menée plus loin. Il a fait remarquer que les deux formes de déclaration sont toujours contenues dans toutes les communications humaines et les a baptisées respectivement niveau de l'objet et niveau de la relation. Cette distinction nous permet de comprendre plus nettement qu'il nous est possible d'entrer rapidement en conflit avec un quelconque partenaire – n'importe lequel, mais plus il sera proche, mieux cela vaudra. Supposons une épouse qui demande à son mari : « Cette soupe, préparée selon une nouvelle recette, est-elle à ton goût ? » Si tel est le cas, il n'aura aucun mal à répondre « oui », pour la plus grande satisfaction de Madame. Mais, s'il déteste cette soupe et ne craint pas trop de décevoir sa partenaire, il peut répondre tout simplement « non ». Mais une difficulté se dresse d'emblée dans le cas (statistiquement plus probable) où, d'une part, il juge la soupe épouvantable et, d'autre part, il ne veut pas faire de peine à son épouse. Au niveau de l'*objet* (c'est-à-dire dans la mesure où il s'agit de l'objet *soupe*) sa réponse devrait être « non ». Mais au niveau de la *relation* il devrait répondre « oui » pour ne pas faire de peine. Or, nous ne possédons qu'*un seul* langage pour les deux niveaux – que va-t-il pouvoir dire ? Sa réponse ne peut être oui *et* non. Il va donc très probablement tenter de se tirer de ce mauvais pas par une déclara-

tion ambiguë, du genre : « Oui, le goût est amusant »
– dans l'espoir qu'elle comprendra ce qu'il voudrait
lui dire en réalité*.

Ses chances de parvenir à ses fins sont infimes. Le
mieux qu'il puisse faire, étant donné les circonstances, est probablement de suivre plus ou moins
l'exemple d'un mari de ma connaissance. Lors du
premier petit déjeuner qui suivit les noces, sa jeune
épouse plaça sur la table une grande boîte de
céréales, dans l'idée – fausse au niveau de l'objet,
mais bien intentionnée au niveau de la relation –
qu'il en raffolait. Il ne voulut pas lui faire de peine et
décida donc de manger l'affreux brouet puis, quand
la boîte serait vide, de lui demander de n'en plus
acheter. Hélas ! en épouse attentionnée, avant qu'il
eût totalement terminé la première, elle avait déjà
acheté la seconde boîte. Aujourd'hui, après seize ans
de mariage, il a abandonné tout espoir de lui expliquer un jour qu'il déteste les céréales – on imagine
fort bien ce que serait la réaction de sa femme !

Envisageons maintenant cette demande d'apparence inoffensive : « Cela te ferait-il plaisir de m'ac-
compagner à l'aéroport demain matin ? » Oui, oui, je
sais, Messieurs les spécialistes en communication, la
réponse « correcte » devrait traiter séparément des

---

* Il existe certes des puristes parmi les soi-disant « conseillers en
communication » pour croire ingénument qu'il existe une communication
« correcte » (dont on pourrait apprendre la grammaire comme celle d'une
quelconque langue étrangère) et pour soutenir qu'il existe une réponse du
genre : « Je n'aime pas cette soupe, mais je tiens sincèrement à te remercier
de t'être donné le mal de la préparer pour moi. » Je ne doute pas que, dans
les livres de ces spécialistes – et là seulement –, l'épouse se jette alors au
cou de l'époux !

deux niveaux de communication ; par exemple :
« Non pour l'aéroport, je déteste y aller à six heures du matin ; mais je suis tout prêt à te rendre ce service. »

Le lecteur aura sans doute déjà deviné l'importance de cette difficulté de communication pour le sujet qui nous occupe. Car même si le partenaire parvient à s'exprimer de la manière que je viens d'évoquer (et reconnaissons que c'est vraiment fort peu naturel) les PDR sauront fabriquer une difficulté en déclarant qu'ils sont prêts à accepter le service à l'unique condition que l'autre ait effectivement du plaisir à conduire jusqu'à l'aéroport ! L'autre pourra toujours se débattre pour tenter de sortir de ce piège sémantique, il n'échappera pas aux embûches de cette confusion entre niveau de l'objet et niveau de la relation. À la fin d'une longue et vaine dispute, les deux partenaires seront forcément montés l'un contre l'autre. C'est que, voyez-vous, la recette est relativement simple une fois que l'on a saisi l'importance de la différence qui existe entre ces deux niveaux de communication et que l'on devient capable de les confondre non plus seulement par inadvertance mais de propos délibéré. L'un des exemples les plus édifiants que je connaisse à cet égard est la confusion entre l'ail et l'amour, qui sert de titre à ce chapitre.

La raison pour laquelle tout cela vient facilement, même aux débutants, est la difficulté des déclarations au niveau de la relation. Les objets – ail compris – forment des sujets de conversation relativement simples. Mais l'amour ? Qu'on s'y essaie ne fût-ce qu'une fois avec sérieux. Tout comme on ruine la meilleure blague en en expliquant la chute, il suffit de palabrer à propos des formes apparemment les plus simples des relations humaines pour faire naître des problèmes de plus en plus insolubles. Le meilleur moment pour ce genre de conversations « à cœur ouvert » est la fin de la soirée. Vers trois heures du matin, le sujet aura été retourné en tous sens et à ce point déformé par les antagonistes, parvenus au bout de leur patience et de leur résistance, qu'on peut pratiquement leur garantir une nuit sans sommeil.

En raffinant encore cette technique, on obtient un certain genre de question – voire deux. Commençons par un exemple de la première. Imaginez que votre partenaire vous demande à brûle-pourpoint : « Pourquoi es-tu en colère contre moi ? » En toute bonne foi, vous ne vous sentez en colère contre rien ni personne. Mais la question insinue que son auteur sait mieux que vous-même ce qui se passe dans votre propre esprit et que la réponse : « Mais je ne suis pas en colère du tout » est un pur et simple mensonge. Cette technique, connue aussi sous le nom de *lecture dans la pensée* ou encore de *voyance*, tire sa remarquable efficacité du fait qu'on peut discuter jusqu'au Jugement dernier des humeurs et de leurs manifestations visibles et de ce que la plupart des gens entrent en fureur quand on leur attribue des sentiments négatifs.

La variante consiste à affronter son interlocuteur avec une déclaration aussi hardie et décidée que nébuleuse. Si l'autre demande de quoi diable on peut bien parler, on referme le piège en expliquant : « Le seul fait que tu aies besoin d'une explication pour comprendre ce que je dis là prouve ta vraie nature ! » Cette technique a une histoire déjà vénérable. Car il semble bien qu'elle soit utilisée depuis des siècles – et avec excellent succès – dans le traitement des prétendus « dérangés ». La manière dont Rosencrantz et Guildenstern tentent, à la demande du roi, de savoir ce qui se passe dans la tête d'Hamlet est de cette nature. Chaque fois que Hamlet remarque dans leurs « regards une sorte d'aveu que leur candeur n'a pas le talent de colorer », ils recourent à de piètres réponses dilatoires du genre : « Que pourrions-nous dire, Monseigneur ? » ou encore : « Dans quel but, Monseigneur ? » ou enfin : « Monseigneur, il n'y a rien de cela dans ma pensée. »

Mais revenons de la fiction à la réalité. Quand une personne qu'on prétend « dérangée » exige de savoir, sans équivoque, ce qu'est au juste la folie dont on l'accuse, cette question même peut passer pour une preuve supplémentaire de cette folie. « Si vous n'étiez pas dans un tel état, vous sauriez exactement de quoi nous parlons. » On ne peut nier qu'une méthode bien définie préside à ce que cette réponse a de proprement démentiel : tant que le patient accepte la définition des relations dans les termes suivants : « Nous sommes normaux – tu es fou », il reconnaît être fou – mais, s'il demande à y voir un peu plus clair, cette demande elle-même est aussitôt muée en preuve supplémentaire de sa folie. Après l'échec de cette tentative d'incursion en territoire humain, le patient n'a plus qu'à s'arracher les cheveux de rage impuissante ou à retomber dans le silence. Dans les deux cas, il fait la démonstration du degré de son mal et prouve à quel point les autres avaient raison dès le début. Cet « effort pour rendre l'autre fou » (l'expression est de Searles [21]) était déjà connu de Lewis Carroll. Dans *À travers le miroir*, les reines Blanche et Rouge accusent Alice de vouloir nier quelque chose et attribuent cette attitude à son état mental :

« Mais non, je suis certaine de n'avoir pas voulu signifier… », commença Alice, mais la Reine Rouge l'interrompit avec impatience.

« C'est exactement ce dont je me plains ! Il fallait signifier ! À quoi peut bien servir d'après vous une enfant insignifiante ? Même une plaisanterie doit avoir une signification – et une enfant a plus d'importance qu'une plaisanterie, tout de même. Voilà ce que vous ne pourrez nier, même avec les deux mains. »

« Je ne nie pas avec les mains », objecta Alice.

« Personne ne dit le contraire, dit la Reine Rouge, j'ai dit que vous ne le pourriez pas. »

« Voyez l'état d'esprit, dit la Reine Blanche ; elle voudrait nier quelque chose – seulement, elle ne sait pas quoi nier ! »

« Un sale, un mauvais caractère », commenta la Reine Rouge ; et un silence inconfortable s'installa une minute ou deux*. »

Dans les établissements qui se considèrent comme compétents pour traiter ce genre d'« état

* Traduction originale.

d'esprit», les applications de cette technique ont pour seule limite l'esprit d'invention du personnel. On peut par exemple abandonner entièrement à la volonté du prétendu «patient» le choix de participer ou non à telle activité du service dans lequel il se trouve. À supposer qu'il décline poliment, on lui demande alors, avec beaucoup d'intérêt, d'exposer les raisons de son refus. Ce qu'il dira alors n'a guère d'importance puisqu'il s'agira de toute manière d'une manifestation de sa résistance au traitement – et donc, pathologique. La seule solution qui lui soit ouverte est la participation «librement choisie» à l'activité proposée. Et qu'il prenne bien garde à ne pas laisser entendre qu'il n'a pas le choix car, s'il voit réellement sa situation dans ces termes, c'est encore une preuve de sa résistance, de son manque de pénétration. Il faut que sa volonté de participer soit «spontanée» (voir le chapitre suivant), alors même que, en participant, il reconnaît implicitement qu'il est malade et a besoin d'un traitement. Dans certains systèmes sociaux plus vastes, mais construits sur le modèle de l'hôpital psychiatrique fermé, cette méthode est connue depuis fort longtemps sous le nom peu respectueux et fort réactionnaire de *lavage de cerveau*. Mais ces remarques excèdent de beaucoup le cadre de ce modeste manuel. Revenons à notre sujet et résumons ainsi ce qui précède.

Il existe une manière utile et efficace de compliquer sa relation avec autrui. Elle consiste à offrir à son vis-à-vis le choix entre deux possibilités. Dès qu'il en choisit une, on peut lui reprocher de n'avoir pas choisi l'autre. Les experts de la communication appellent ce petit truc l'« alternative illusoire ». La structure en est d'une grande simplicité. Si le partenaire fait A, il aurait dû faire B ; mais, pour peu qu'il choisisse B, il aurait dû faire A. J'emprunte aux instructions de Dan Greenburg aux mères juives – déjà citées dans l'introduction – un exemple particulièrement éclairant :

« Offrez à votre fils deux cravates différentes. La première fois qu'il en portera une, regardez-le avec amertume et dites sur le "Ton de Voix de Base" : Je savais bien que tu n'aimerais pas l'autre » (4).

Mais ce modèle peut également fonctionner en sens inverse. La plupart des adolescents sont des experts naturels de sa mise en pratique. Prisonniers qu'ils sont d'un *no man's land* entre l'enfance et l'âge adulte, ils n'ont guère de mal à exiger de leurs parents qu'ils les traitent en jeunes adultes, dotés de tous les droits et de la liberté d'action correspondant à ce statut. Mais, quand il s'agit des devoirs et des responsabilités d'un adulte, ils peuvent laisser entendre, par des paroles ou par des actes, qu'ils sont bien trop jeunes pour y songer. Si les parents grincent des dents en regrettant d'avoir eu des enfants, l'adolescent peut alors s'indigner de leur absence de toute fibre parentale. Il est vainqueur à tous les coups.

Psychiatres et psychologues ne sont encore jamais parvenus à expliquer pourquoi nous faisons tous des victimes consentantes des alternatives illusoires, alors que nous trouvons beaucoup plus facile d'écarter les deux possibilités pour peu qu'elles ne nous soient plus offertes ensemble mais séparément. De cette donnée empirique, il faut apprendre à tirer le parti maximal si l'on désire vraiment infernaliser ses relations avec autrui. Voici trois exercices simples pour les débutants.

Exercice 1. Demander un petit service à quelqu'un. Lui en demander un autre dès qu'il se met au travail sur le premier. Ne pouvant satisfaire les deux requêtes que successivement, il est désarmé. S'il fait mine de poursuivre la première activité pour la mener à son terme, se plaindre de ce qu'il semble ignorer la seconde requête. Et *vice versa*. S'il fait mine de se mettre en colère, on pourra tristement lui reprocher ses sautes d'humeur des derniers jours.

Exercice 2. Dire ou faire quelque chose que l'autre peut aussi bien interpréter comme un trait d'humour ou prendre au pied de la lettre. Selon l'attitude qu'il adopte, lui reprocher de ne pas prendre au sérieux un sujet important, ou de manquer de sens de l'humour. (Cet exemple est emprunté à l'article de Searles déjà cité dans ce qui précède [21].)

Exercice 3. Demandez à votre partenaire de lire les quelques pages qui précèdent sous prétexte qu'elles illustrent fort bien son attitude générale à votre égard. Si jamais il se dit d'accord (ce qui paraît bien peu probable), c'est qu'il avoue une fois pour toutes chercher sans cesse à vous manipuler. Mais si, comme il est infiniment plus probable, il nie farouchement, vous restez vainqueur. Car il vous suffit de vous exclamer que, ce faisant, il n'a fait qu'ajouter une manipulation à toutes celles qui l'avaient précédée. Vous vous expliquerez plus ou moins comme suit : « Si je tolère en silence tes manipulations, tu en profites pour me manipuler plus encore. Si je te fais remarquer tes manipulations, comme je viens de tenter de le faire, tu me manipules une fois de plus en niant tes manipulations. »

Ce sont là de simples exemples. Un PDR de talent poussera cette technique jusqu'à des extrêmes pleins de byzantinisme. Pour finir, le partenaire en sera réduit à se demander sincèrement s'il n'est pas fou. Tout au moins sera-t-il pris d'une manière de vertige. Il s'agit donc d'une tactique qui, outre qu'elle permet à son utilisateur de faire sans cesse la preuve de son bon droit et de sa normalité, présente l'avantage d'assurer au couple le malheur maximal.

On peut encore y ajouter la hiérarchisation de ses exigences avec nouvelle mise en question à chaque assurance reçue. Expliquons-nous. Pour ce faire, l'ouvrage de Laing, *Est-ce que tu m'aimes ?* (10), nous fournit nombre d'exemples magistraux. Dans la plupart, le mot clé est « vraiment », comme dans l'échange suivant, qui n'est pas une citation directe mais une paraphrase qui rend bien compte de la tonalité générale de ces conversations :

« Tu m'aimes ?
– Oui.
– Vraiment ?
– Oui, vraiment.
– Vraiment vraiment ? »

On imagine que ce qui suit doit être une espèce de bruitage de cinéma (« ambiance sonore : la jungle ») ; pendant que nous y sommes, j'ajoute encore un conseil utile.

Comme nous l'avons vu dans l'introduction, il est à tout le moins difficile, sinon impossible, de définir le bonheur et la satisfaction en termes positifs. Mais voilà qui ne devrait pas dissuader les parangons de vertu de leur attribuer un caractère *négatif*. Comme le lecteur le sait probablement déjà, la devise officieuse du puritanisme est : « Fais ce que voudras, à condition de n'en tirer aucun plaisir. » Et il existe effectivement des gens qui jugent indécent de prendre plaisir à quoi que ce soit dans un monde tel que celui où l'on vivons aujourd'hui. Et, certes, il devient difficile de jouir ne serait-ce que d'un verre d'eau à l'instant où l'on sait qu'un demi-million de civils innocents sont en train de mourir de soif dans la moitié occidentale de Beyrouth. Mais, à supposer même que le bonheur mondial soit pour demain, les pessimistes calvinistes auraient encore des raisons d'espérer. Ils pourraient toujours avoir recours à la recette de Laing en reprochant à leurs interlocuteurs innocemment heureux : « Comment oses-tu t'amuser alors que le Christ est mort sur la croix pour ton salut ? Tu crois qu'il s'amusait, lui ? » Le reste n'est plus que silence gêné.

Sois spontané !

Mais toutes ces variations sur le thème fondamental de l'amour et de l'ail ne sont qu'inoffensives escarmouches comparées au terrifiant pouvoir de destruction de l'exigence, si innocente d'apparence, d'un comportement spontané. De toutes les embrouilles, chausse-trapes et autres pièges à feu qui constituent l'arsenal du PDR expérimenté, le paradoxe du « sois spontané ! » est, de loin, le plus universellement utilisé. Et pour un paradoxe, c'en est un, de première bourre – si l'on veut bien me passer l'expression –, satisfaisant aux plus sévères exigences de la logique formelle.

Dans l'antique Olympe logique, la coercition et la spontanéité (c'est-à-dire ce qui procède de l'intérieur en dehors de toute contrainte ou intervention extérieures) sont incompatibles. Faire spontanément ce que l'on a reçu l'ordre de faire est aussi impossible que d'oublier par décision consciente ou de décider de dormir plus profondément. Ou bien l'on agit spontanément, c'est-à-dire à sa propre discrétion ; ou bien l'on obéit à un ordre et par conséquent on n'agit pas spontanément. D'un point de vue

81

purement logique il est impossible de faire les deux à la fois.

Et puis après ? Qui se préoccupe de logique ? Puisque je puis écrire « sois spontané ! » je puis aussi le dire – logique ou non. La patience du papier et des ondes sonores est sans limites, contrairement à celle du destinataire humain d'un tel message – car que peut-il faire, désormais ?

Si vous avez lu le roman de John Fowles, *l'Amateur*, vous savez déjà où je veux en venir. Ce collectionneur est un jeune homme qui commence par se limiter aux papillons qu'il se donne tout le loisir d'admirer tranquillement. Empalés qu'ils sont sur des épingles, ils ne peuvent évidemment plus s'envoler. Mais, lorsqu'il s'éprend de la belle étudiante Miranda et tente d'utiliser avec elle la même technique (fidèle en cela au principe « il suffit d'insister » que nous avons vu à la page 27), les ennuis ne tardent pas, pour elle comme pour lui. N'étant ni particulièrement beau ni spécialement sûr de soi, il est convaincu que Miranda ne tombera pas spontanément amoureuse de lui. Il l'enlève donc et remplace pour elle les épingles par une fermette isolée dans laquelle il la tient prisonnière. Dans le cadre de cette coercition sans fard, il espère sérieusement qu'elle apprendra progressivement à l'apprécier, alors que, faut-il le préciser ? cette captivité devient pour elle un cauchemar chaque jour plus épouvantable. Ce n'est que très progressivement que le caractère inexorablement et désespérément tragique de son utilisation du paradoxe « sois spontané ! » lui apparaît, à mesure qu'il prend conscience d'avoir ainsi rendu impossible ce qu'il cherchait précisément à accomplir. Pis encore, il ne peut se contenter de reconnaître son erreur et de la relâcher, puisqu'il serait alors arrêté et inculpé d'un crime fort grave.

Tiré par les cheveux ? Trop « littéraire » ? D'accord. Prenons donc cette situation infiniment plus banale et dont la création ne demande aucune perversité particulière. C'est l'exemple rebattu et misérable de la mère qui exige que son fils fasse ses devoirs – non point parce que c'est la règle à l'école, mais parce qu'il devrait *aimer ça*. Nous tombons ici sur le retournement de la définition du puritanisme. Ce n'est plus *ton devoir est de ne pas t'amuser*, mais au contraire *ton devoir devrait t'amuser*.

Que faire ? – ai-je déjà demandé ; question toute rhétorique puisqu'il n'existe pas de solution. Que peut faire l'épouse dont le conjoint exige non seulement qu'elle satisfasse à tout instant ses envies sexuelles quand elles le prennent, mais encore qu'elle y prenne elle-même un plaisir complet à chaque fois ? Que faire lorsqu'on est dans la situation de ce petit garçon qui devrait *aimer* faire ses devoirs ? On est contraint de supposer que l'on n'est pas normal ou que l'on vit dans un monde anormal. Or, comme le « monde » échappe presque totalement à l'action individuelle, on est pratiquement contraint de s'en prendre à soi-même. Vous n'êtes pas encore très convaincu ? Poursuivez, je vous prie, votre lecture : tout cela est plus simple que vous ne le croyez sans doute.

Imaginez que vous soyez né au sein d'une famille dans laquelle, pour une raison quelconque, tout le monde est censé être heureux. Ou, pour être plus précis, une famille où les parents souscrivent entièrement à l'idée que la belle humeur ensoleillée d'un enfant constitue la meilleure preuve de la réussite parentale. Et, maintenant, voyez ce qui va se produire chaque fois que vous serez de mauvaise humeur, ou fatigué, chaque fois que vous aurez peur de votre classe d'éducation physique, du dentiste ou de l'obscurité, ou quand vous refuserez de devenir louveteau. Vos parents n'y verront pas autant d'humeurs passagères, autant d'accès de fatigue ou d'inquiétude typiquement enfantines. Pour eux ce sera une accusation d'autant plus parlante qu'elle sera silencieuse, une preuve de leur échec. Et, contre cette accusation, ils se défendront, en vous rappelant tout ce qu'ils ont fait pour vous, tous les sacrifices qu'il leur aura fallu consentir ; bref, le peu de droit et de raison que vous aurez de n'être pas heureux.

Il est des parents qui ont su perfectionner magistralement cette méthode, disant à leur enfant des choses du genre de celle-ci : « File dans ta chambre et tu n'en reviendras qu'avec un sourire ! » Cette phrase implique tout simplement que, au prix d'un léger effort de bonne volonté, l'enfant devrait être capable de reprogrammer entièrement son humeur. Il n'a qu'à exciter les nerfs faciaux appropriés de manière à produire le sourire qui lui vaudra d'être rétabli de plein droit dans la citoyenneté du monde des « braves gens ».

Cette recette toute simple, qui permet d'incorporer la tristesse, l'infériorité morale – et par-dessus tout l'ingratitude – au même bouillon que l'ail et l'amour, est d'une importance considérable dans la poursuite du malheur. Elle est éminemment apte à précipiter autrui dans la plus profonde culpabilité que l'on peut ensuite définir elle-même comme l'un des sentiments que l'autre n'aurait pas besoin d'éprouver s'il n'était précisément la personne qu'on lui reproche d'être. À supposer alors que la victime d'un tel traitement ait le culot de demander comment il est diable possible de recomposer ses propres sentiments, il sera temps de lui faire remarquer qu'il s'agit là encore du genre de choses que les « braves gens » sont parfaitement capables d'accomplir sans qu'on leur fasse un dessin. (C'est le moment de lever les sourcils avec l'expression navrée de la plus profonde tristesse.)

Quand l'étudiant en sera venu à ce point, il devrait être capable de créer tout seul ses pires dépressions. Mais il faut obligatoirement en passer par là, car il est pratiquement impossible d'induire semblable sentiment de culpabilité chez des gens n'ayant subi aucune formation. Je pense à ces gens épais et dépourvus d'imagination qui, s'ils ont bien leurs mauvaises humeurs passagères, tout comme les candidats à la dépression, n'en soutiennent pas moins le point de vue simpliste que les moments de tristesse font partie intégrante de toute existence normale ; bref, que « ça va ça vient » et que, si ce n'est pas fini ce soir, ma foi, ça sera passé demain.

Non, la dépression digne de ce nom est tout autre chose. Elle tient à la capacité de se répéter perpétuellement ce que l'on s'est entendu dire pendant son enfance, à savoir qu'on n'a pas le droit, ni aucune raison, d'être triste.

Ainsi, on peut être assuré que la dépression s'approfondira et durera bien plus longtemps. Quant à ceux qui, suivant les diktats du bon sens et de leur propre cœur sans malice, tenteront de venir au secours de la personne déprimée, en lui « remontant le moral » et en l'encourageant à se reprendre, ils seront naïvement étonnés de découvrir que « ça n'a l'air que de faire empirer les choses ». Car désormais la victime peut se sentir doublement coupable : non seulement elle ne devrait pas être déprimée, mais encore elle peut s'accuser d'être incapable de participer à la bonne humeur légère de tous ces braves gens et d'avoir cruellement déçu leurs bonnes intentions. Hamlet, par exemple, était parfaitement conscient de la douloureuse différence qui séparait sa propre vue du monde de celle des autres, mais il faut lui concéder avec beaucoup d'admiration qu'il sut magistralement en tirer parti pour son dessein :

« J'ai depuis peu, mais pourquoi, je ne sais, perdu toute gaieté, renoncé à tous les exercices que j'avais accoutumés ; et, vraiment, tout pèse si lourdement à mon humeur que cette belle création, la terre, me semble un promontoire stérile. Ce dais splendide, le ciel, ah, regardez ! Ce plafond magnifique, ce toit majestueux, constellé de flammes d'or, bah ! il ne m'apparaît plus que comme un noir amas de vapeurs et de pestilences. Quel chef-d'œuvre que l'homme ! Noble dans sa raison ! Infini dans ses facultés ! Précis et combien admirable dans sa forme et dans ses mouvements ! Par l'action, semblable à un ange ! Par la pensée, à un Dieu ! C'est la beauté du monde ! Le parangon des animaux ! et pourtant, qu'est à mes yeux cette quintessence de poussière ? L'homme ne fait point mes délices*... »

Cela ne fait apparemment guère de différence que le paradoxe « sois heureux ! » nous soit imposé par nous-même ou par quelque autorité extérieure. Il n'est d'ailleurs que l'une des nombreuses variations du paradoxe « sois spontané ! ». C'est pratiquement la totalité des conduites spontanées qui se prête à la construction de ces pièges imparables : on peut exiger de quelqu'un qu'il se souvienne ou oublie spontanément ; on peut exprimer le souhait de recevoir tel présent, puis être déçu de l'avoir reçu « seulement » pour en avoir exprimé le souhait ; on peut tenter de déclencher une érection ou un orgasme par le seul jeu de la volonté qui rend précisément impossible ce qu'elle cherche à accomplir ; on peut chercher à s'endormir parce qu'on le veut ; on peut tenter d'aimer quand l'amour est présenté comme une obligation morale.

* Traduction originale.

Pourquoi
m'aimerait-on ?

L'amour est évidemment un sujet inépuisable. C'est pourquoi je ne m'aventurerai à la dissection que d'un très petit nombre de ses aspects les plus producteurs de malheur. À cette fin, il me faut d'abord faire référence à l'intéressante suggestion de Dostoïevski, selon laquelle le précepte biblique « Aime ton prochain comme toi-même » aurait plus de sens si on l'entendait à l'envers – c'est-à-dire que l'on ne peut aimer son prochain que si l'on commence par s'aimer soi-même.

Avec moins d'élégance, mais d'autant plus de précision, Marx (non, pas celui-là, Groucho) a exprimé la même idée quelques dizaines d'années plus tard : « Il ne saurait être question pour moi d'appartenir à un club qui s'aviserait de m'accepter comme membre. » Si vous êtes en mesure de sonder les profondeurs de ce bon mot, c'est que vous êtes déjà bien préparé à ce qui suit.

Être aimé, dans la meilleure des circonstances, est quelque chose de bien mystérieux. Mais il ne sert à rien de chercher à s'enquérir, car les questions ne font que brouiller plus encore le sujet. Au mieux, l'autre est incapable de vous dire pourquoi. Au pire, ses raisons de vous aimer se révèlent des choses qu'il ne vous serait jamais venu à l'esprit de trouver aimables – cet affreux grain de beauté sur votre épaule gauche. Une fois encore, on se rend compte, trop tard, que le silence est d'or.

Voici donc une nouvelle leçon utile pour la poursuite de notre sujet : Il ne faut jamais accepter en toute simplicité et gratitude ce que la vie peut nous offrir à travers l'affection d'un partenaire. Il faut supputer. *Se* demander, plutôt que *lui* demander, ce qu'il peut bien trouver en nous. Car il faut qu'il y ait un intérêt ou quelque autre raison égoïste qu'il n'est pas près de nous révéler.

L'amour est un paradoxe qui en a interloqué bien d'autres, et de plus grands que nous ! C'est de lui que la plupart des plus célèbres créations de la littérature mondiale tirent leur inspiration. Prenons la phrase suivante d'une lettre de Rousseau à Mme d'Houdetot : « Si vous êtes à moi, je perds en vous possédant celle que j'honore » (19). Oui, relisez-la, n'hésitez pas ! Car ce que semble dire Rousseau est assez dur à avaler, je le concède, pour le consommateur moyen : « Si tu me cèdes, toi ma bien-aimée, tu cesseras, du fait même, d'être digne de personnifier mon amour. » Cette vision exaltée et très dix-huitième a encore cours de nos jours, plus particulièrement dans certain pays méditerranéen : l'homme, s'étant convaincu de l'impétuosité de sa flamme, ne cesse d'implorer et d'assaillir la dame de son choix ; mais, si elle finit par accéder à la violence de ses demandes, il s'empresse de la mépriser – car jamais une femme convenable n'eût cédé. Il n'est pas surprenant que le même pays soit connu pour une règle (dont l'existence fait évidemment l'objet des dénégations officielles) qui dit à peu près : Toutes les femmes sont des putains, à l'exception de ma mère – qui était une sainte. (Naturellement, elle n'eût jamais permis « ça ».)

Dans *l'Être et le Néant*, Sartre définit l'amour comme la vaine tentative de posséder la liberté en soi. Il écrit :

« … l'amant ne saurait se satisfaire de cette forme éminente de liberté qu'est l'engagement libre et volontaire. Qui se contenterait d'un amour qui se donnerait comme pure fidélité à la foi jurée ? Qui donc accepterait de s'entendre dire : "Je vous aime parce que je me suis librement engagé à vous aimer et que je ne veux pas me dédire ; je vous aime par fidélité à moi-même" ? Ainsi l'amant demande le serment et s'irrite du serment. Il veut être aimé par une liberté et réclame que cette liberté comme liberté ne soit plus libre » (20).

Pour le lecteur qui souhaiterait en savoir plus sur ces complications intenables et cependant inévitables de l'amour (et de bien d'autres formes de comportement irrationnel), l'ouvrage du philosophe norvégien Jon Elster, *Ulysse et les Sirènes* (1), sera sans doute une lecture originale et passionnante. Pour le débutant, toutefois, ce que l'on a dit jusqu'ici devrait fournir un point de départ suffisant, et lui permettre de ne pas s'en tenir définitivement au degré zéro du savoir-faire – sans forcément atteindre d'emblée au niveau de Groucho Marx. Car il y a beaucoup à faire, à partir d'une simple incrédulité quant à sa propre capacité à susciter l'amour des autres. Sur la force de cette conviction fondamentale, on peut discréditer, sans avoir l'air d'y toucher, tous ceux qui s'aventureraient à nous aimer. Car il y a évidemment quelque chose qui ne tourne pas rond chez les gens capables d'aimer une personne indigne d'être aimée. Un défaut de caractère comme le masochisme, la soumission névrotique à une mère castratrice, une fascination morbide pour les êtres inférieurs – voilà quelques-unes des raisons qui peuvent s'offrir comme autant d'explications cliniques de l'amour mal placé, permettant du même coup de le juger inintéressant ou insupportable. (Une certaine connaissance de la psychologie ou du moins quelque expérience de ce que sont les clubs de rencontre faciliteraient énormément le choix d'un diagnostic approprié.)

Une fois arrêté ce choix d'un diagnostic, il révélera la fragilité minable de l'amant, de l'aimé et de l'amour lui-même. Qu'espérer de plus ? Mieux que tout autre à ma connaissance, c'est Ronald Laing qui a su magistralement décrire le schéma en question dans son livre *Nœuds* ((9), p. 37).

Je ne m'estime pas
Je ne puis estimer quelqu'un qui m'estime.
Je ne puis estimer que quelqu'un qui ne m'estime
    pas.

J'estime Jack
parce qu'il ne m'estime pas

Je méprise Tom
parce qu'il ne me méprise pas

Seule une personne méprisable
peut estimer quelqu'un d'aussi méprisable que moi

Je ne puis aimer quelqu'un que je méprise

Du fait que j'aime Jack
je ne puis croire qu'il m'aime

Quelle preuve peut-il me donner ?

À première vue, tout cela peut sembler absurde,
tant sont patentes les complications créées par cette
vision de soi-même et de l'autre. Mais cela ne
devrait pas suffire à nous dissuader ni à nous empêcher de plonger dans le malheur, car, comme l'a
noté Shakespeare avec tant de sagacité dans un de
ses sonnets :

Tout cela est bien connu du monde entier ; mais nul
   ne sait
Comment éviter le ciel qui mène l'homme à cet
   enfer.

Une fois bien installé dans cet enfer, le reste
devient facile : il suffit de s'éprendre – d'une
manière totalement désespérée – d'une personne

heureusement mariée ailleurs, d'un prêtre, d'une vedette de l'écran, d'une prima donna. De cette manière on sera en mesure de voyager plein d'espérances sans jamais arriver et l'on s'épargnera la découverte troublante du fait qu'une personne libre pourrait parfaitement envisager d'entrer dans une relation amoureuse avec nous – ce qui nous la rendrait aussitôt méprisable.

Les pièges de l'altruisme

Qui aime veut venir en aide à l'objet aimé. Mais le désir spontané de voler au secours d'autrui ne présuppose pas forcément l'existence d'une relation amoureuse individuelle. Au contraire, l'altruisme qui pousse à venir en aide à un *inconnu* est considéré comme une manifestation d'une particulière noblesse. Cette aide altruiste constitue un idéal élevé et (dit-on) contient en elle-même sa propre récompense.

Cela ne devrait pas forcément faire obstacle à notre dessein. Comme toute autre attitude noble, l'altruisme, l'aide désintéressée sont susceptibles de salissure et d'amoindrissement par la lueur blême de la pensée. Pour mettre en doute la pureté altruiste, il suffit de se demander si l'on ne possède pas, dans le fond, des mobiles cachés. Cette bonne action n'était-elle pas un dépôt de fonds sur mon compte personnel en paradis ? Ne visait-elle pas à en mettre plein la vue à des tiers ? Voulais-je me faire admirer ? Contraindre quelqu'un à la gratitude envers moi, en faire, comme on dit si bien, mon « obligé » ? Ne cherchais-je pas plus simplement à atténuer quelque sentiment de culpabilité ? Il n'existe manifestement pas de limites au pouvoir de la pensée négative, il suffit de chercher pour trouver. Pour le pur, tout est pur ; mais le pessimiste, au contraire, saura découvrir le pied fourchu, le talon d'Achille, ou toute autre métaphore dans le champ de la podiatrie.

En cas de difficulté, qu'on n'hésite pas à consulter la littérature professionnelle spécialisée. Voilà qui ouvrira les yeux ! On découvrira que, au fond, le brave pompier est un pyromane ; que le militaire héroïque tend à réaliser ses pulsions suicidaires, voire meurtrières ; que les policiers ne poursuivent les crimes des autres que pour résister à leurs propres tendances criminelles ; que le célèbre détective parvient tout juste à socialiser le déséquilibre paranoïaque de sa personnalité ; que tout chirurgien est un sadique secret, tout gynécologue un voyeur, tout psychiatre un démiurge. Et voilà ! Il n'est pas plus difficile que cela de démasquer la pourriture fondamentale de notre monde.

Mais même les altruistes qui ne parviendraient pas à découvrir et à évaluer ces motivations réelles ont la possibilité de faire de leur altruisme un enfer particulier excédant de loin l'imagination du profane. Tout ce dont il est besoin ici est une relation fondée principalement sur le fait que l'un des partenaires a besoin (ou prétend avoir besoin) d'aide, tandis que l'autre est prêt à la fournir. Il est dans la nature d'une telle relation de n'avoir que deux résultats possibles, et les deux sont fatals. Soit l'aide n'aboutit à rien, soit elle réussit. Une fois encore, *tertium non datur* (comme disent les pages roses), il n'existe pas de troisième possibilité. Dans le premier cas, l'altruiste le plus invétéré finira par avoir son compte et se retirera de la relation. Mais dans le second, en cas de réussite, l'autre cessera par définition d'avoir besoin d'aide et la relation s'effondrera d'elle-même, ayant perdu sa signification. (Je sais, je sais, les plus idéalistes d'entre mes lecteurs diront désormais que les deux partenaires sont en mesure d'établir une relation adulte, équilibrée, totalement nouvelle. Allez donc raconter ça à un véritable altruiste !) Du point de vue littéraire, on pense aussitôt aux nombreux romans et livrets des XVIIIe et XIXe siècles qui montrent un jeune noble consacrant sa vie au salut de quelque prostituée dépravée et démoniaque (mais demeurée, bien entendu, tout au fond, innocente et aimable). On dispose d'exemples plus pratiques qui nous sont fournis par le cas de ces femmes, presque toujours intelligentes, responsables et prêtes au sacrifice, qu'anime la tentation fatale de racheter quelque alcoolique, joueur et autre délinquant par le suave pouvoir de leur amour et qui, jusqu'à la fin généralement tragique, réagissent au comportement immuable de l'homme sur lequel elles ont jeté leur dévolu par un surcroît d'amour, de compréhension et d'assistance. Du point de vue de leur capacité à engendrer le malheur, ces relations sont presque parfaites, car les deux partenaires s'y complètent d'une manière quasiment inimaginable dans des circonstances plus positives. Pour pouvoir se sacrifier, une femme de cette trempe a besoin d'un homme faible et assailli de difficultés. Car, dans la vie d'un partenaire relativement normal et indépendant, il n'y aurait, à ses yeux, ni assez de place ni suffisamment de besoins pour son amour et, par conséquent, pour elle. Quant à lui, il a absolument besoin qu'une altruiste imperturbable l'aide à poursuivre son interminable série d'échecs. Partisane de l'échange égalitaire, une femme aurait vite fait de sortir d'une telle relation, à supposer qu'elle y soit entrée. C'est pourquoi notre recette est la suivante : il convient de découvrir un partenaire qui, en étant ce qu'il est, nous permet d'être ce que nous voulons être – mais, ici encore, qu'on se garde bien d'arriver !

Dans la théorie de la communication, ce modèle est connu sous le terme de *collusion*. Il désigne un arrangement assez subtil, une forme de donnant donnant (souvent inconsciente), dans lequel je me laisse confirmer et sanctionner par mon partenaire dans la manière dont je me vois moi-même et désire me montrer. Le débutant non encore initié demandera naïvement pourquoi ce besoin d'un partenaire. La réponse est simple : peut-on imaginer une mère sans enfants, un médecin sans patients, un chef d'État sans État ? Ce seraient des ombres, des ébauches d'êtres humains, pour ainsi dire. Seul un partenaire jouant dans sa relation avec nous le rôle requis peut nous rendre « réel ». En son absence, il nous faut dépendre de nos seuls rêves, dont l'irréalité est un caractère reconnu. Mais pourquoi quelqu'un serait-il prêt à jouer ce rôle spécifique pour moi ? Il existe deux raisons possibles.

1. Le rôle qu'il *doit* jouer pour me faire me sentir « réel » est le même que celui qu'il *veut* jouer pour

produire sa propre « réalité ». On croirait, n'est-ce pas ? à une parfaite complémentarité. Et, de ce fait, on serait tenté de mettre en doute l'utilité de ce mécanisme à notre dessein. Mais qu'on veuille bien remarquer que, pour demeurer ainsi parfaite, cette relation ne doit jamais subir le moindre changement. Or, le temps passe, les enfants manifestent une tendance très répandue à grandir, les patients à guérir, et la joie initiale est bientôt suivie par la désillusion, parce que les tentatives désespérées d'empêcher l'autre de se soustraire à ce lien se font chaque jour plus intolérables. Qu'on me permette de citer Sartre de nouveau :

« Pendant que je tente de me libérer de l'emprise d'autrui, autrui tente de se libérer de la mienne ; pendant que je cherche à asservir autrui, autrui cherche à m'asservir. Il ne s'agit nullement ici de relations unilatérales avec un objet-en-soi, mais de rapports réciproques et mouvants » (20).

Dans la mesure où toute collusion présuppose que l'autre soit, de son propre mouvement, exactement tel qu'il me le faut, elle débouche inévitablement sur un paradoxe du type « sois spontané ! ».

2. La fatalité de ce résultat devient plus évidente encore quand on considère la deuxième raison pour laquelle un partenaire pourrait vouloir jouer le rôle complémentaire dont je tirerai le sentiment de ma propre « réalité ». Cette raison est tout simplement la juste rétribution du service rendu. L'exemple de la prostitution vient immédiatement à l'esprit. Le client

a besoin que la femme ne lui cède pas seulement pour l'argent, mais aussi parce qu'elle en a « vraiment » envie. (On remarquera au passage l'ubiquité de ce merveilleux concept de « vraiment ».) Il semblerait que seule la courtisane réellement douée (et par conséquent la mieux payée, ce qui complique encore les choses) soit capable d'éveiller et de maintenir cette illusion. Avec des praticiennes moins talentueuses, c'est précisément à ce point qu'intervient la désillusion du client. Mais point n'est besoin de se limiter à la prostitution au sens étroit du terme. La même chose a toutes les chances de se produire chaque fois que des demandes de nature collusive envahissent une relation. On sait qu'un sadique est un homme qui refuse de faire souffrir un masochiste. La difficulté de plus d'une relation homosexuelle tient à l'espoir d'entrer dans l'intimité d'un « vrai » homme, lequel ne peut que se révéler homosexuel lui-même ou se désintéresser de la relation qu'on lui propose.

Dans *le Balcon*, Genet a magistralement mis en scène un monde de collusion. C'est le super-bordel de Mme Irma qui offre à ses clients – moyennant finance, bien sûr – les différentes incarnations des rôles complémentaires de leurs rêves. Écoutons-la dresser la liste de ses clients : deux rois de France, avec couronnements et diverses cérémonies rituelles ; un amiral sur le pont de son navire en perdition ; un évêque en état d'adoration perpétuelle ; un juge faisant le procès d'une voleuse ; un général à cheval, et bien d'autres. (Tout cela tandis que la révolution fait rage et que les rebelles tiennent déjà la partie septentrionale de la ville.) Même la remarquable organisation de Mme Irma ne peut empêcher totalement les accès de désillusion. Comme on l'imagine fort bien, les clients ont du mal à oublier (spontanément ou de propos délibéré) qu'ils paient de leurs deniers ces saynètes. Autre inconvénient, les partenaires stipendiés ne sont pas toujours capables – ou désireux – de jouer leur rôle de la façon exacte que désirent les clients pour créer la « réalité » qu'ils espèrent. Prenons, par exemple, le dialogue suivant entre le Juge et la Voleuse :

LE JUGE : Mon être de juge est une émanation de ton être de voleuse. Il suffirait que tu refuses… mais ne t'en avise pas !… que tu refuses d'être qui tu es – ce que tu es, donc qui tu es – pour que je cesse d'être… et que je disparaisse, évaporé. Crevé. Volatilisé. Nié. D'où : le Bien issu du… Mais alors ? Mais alors ? Mais tu ne refuseras pas, n'est-ce pas ? Tu ne refuseras pas d'être une voleuse ? Ce serait mal. Ce serait criminel. Tu me priverais d'être ! (*Implorant.*) Dis, mon petit, mon amour, tu ne refuseras pas ?

LA VOLEUSE, *coquette* : Qui sait ?

LE JUGE : Comment ? Qu'est-ce que tu dis ? Tu me refuserais ? Dis-moi où ? Et dis-moi encore ce que tu as volé ?

LA VOLEUSE, *sèche et se relevant* : Non !

LE JUGE : Dis-moi où ? Ne sois pas cruelle…

LA VOLEUSE : Ne me tutoyez pas, voulez-vous ?

LE JUGE : Mademoiselle… Madame. Je vous en prie. (*Il se jette à genoux.*) Voyez, je vous en

supplie ? Ne me laissez pas dans une pareille pos-
ture, attendant d'être juge ? S'il n'y avait pas de
juge, où irions-nous, mais s'il n'y avait pas de
voleurs ? ((3), p. 52-53).

À la fin de la pièce, Mme Irma s'adresse au public
après la nuit épuisante qu'elle vient de passer : « Il
faut rentrer chez vous où tout, n'en doutez pas, sera
encore plus faux qu'ici... » Elle éteint la lumière.
On entend crépiter une mitrailleuse toute proche,
menaçante.

Ces fous d'étrangers

Comme la plupart des vérités désagréables, la dernière remarque de Mme Irma n'est guère de nature à lui attirer beaucoup de sympathies. Nous n'aimons guère nous entendre rappeler le caractère fallacieux de notre monde personnel. Notre monde est censé être le vrai ; c'est l'autre monde, ou plutôt les divers mondes des autres qui sont démentiels, trompeurs, illusoires et étranges. Et, à partir de là, il y a beaucoup à apprendre pour le sujet qui nous occupe.

Il n'entre pas dans mes intentions (ni d'ailleurs dans mes compétences) de contribuer par quelques paroles bien pesées au débat sur les causes des tensions pouvant exister entre les citoyens de certains pays et leurs minorités ethniques. C'est une question universelle : Mexicains, Vietnamiens ou Haïtiens aux États-Unis, Nord-Africains en France, Indo-Pakistanais en Afrique, Italiens en Suisse, Turcs en Allemagne de l'Ouest, pour ne rien dire des Arméniens, Kurdes, Druzes, etc. La liste pourrait s'allonger à plaisir.

Non, il n'est pas difficile de se monter le bourrichon contre les étrangers, il suffit de quelques contacts purement individuels, voire d'observations indirectes, dans son propre pays ou à l'occasion d'un voyage. Roter avant et après le repas était jadis un compliment à l'hôte ; il en va assez différemment aujourd'hui, sauf chez certains peuples arabes, comme on sait. Mais sait-on, par exemple, qu'un claquement de langue occasionnel ou une bruyante aspiration d'air entre les dents conservent aujourd'hui le même sens chez les Japonais ? Ou que l'on risquerait de s'attirer bien des antipathies en Amérique centrale si l'on s'avisait d'indiquer la taille des personnes en se servant du geste, pourtant « évident », qui consiste à élever la main horizontalement ? Là-bas, ce geste est réservé à la taille des animaux.

À propos de l'Amérique latine, tout le monde connaît, ne fût-ce que par ouï-dire, ce parangon de virilité qu'on appelle l'amant latin. Fondamentalement, c'est un personnage aimable et inoffensif dont le rôle social s'insère parfaitement dans le contexte plus large des cultures latino-américaines, qui demeurent aujourd'hui encore assez strictes. J'entends par là que, dans la soi-disant « bonne société » de ces divers pays, il existe – du moins officiellement – de très strictes limites aux escapades et romances prémaritales. Cela permet à l'amant latin de se lancer à corps perdu dans le comportement passionnément languissant qui est le sien et qui forme le complément parfait de l'attitude sensuelle, brûlante, mais radicalement dépourvue de complaisance des beautés *latinas*. Il ne faut pas s'étonner, dans ces conditions, que les chansons du

folklore sud-américain (et avant tout le magnifique-
ment nostalgique tango) ne cessent d'exalter les
souffrances exquises de l'amour impossible, de la
séparation fatale quelques secondes avant l'accomplissement, de la splendeur étranglée de larmes de
l'*ultima noche* ! Cependant, après avoir écouté un
grand nombre de ces chansons, l'étranger moins
romanesque et sentimental commence à se demander si c'est bien là *tout* ce qui se passe. À de rares
exceptions près, la réponse est *oui*.

Exportons maintenant l'amant latin vers les
États-Unis ou les pays scandinaves. Il en résultera
toutes sortes de difficultés. Il entreprendra aussitôt
le siège des beautés locales avec toutes les manifestations d'adoration languide qui lui sont comme une
seconde nature. Mais elles ne jouent pas le même
jeu et risquent de le prendre au sérieux. Il s'attend,
quant à lui, aussi peu que vous et moi à hériter de
Paul Getty – c'est une rêverie agréable en elle-
même. Dans ses règles du jeu *à lui*, elles doivent
l'éconduire ou le faire patienter jusqu'à la nuit de
noces. On n'a guère de mal à imaginer les complications qui vont résulter de ce quiproquo, tant pour
les malheureuses qui l'auront pris au sérieux que
pour l'amant latin soudain menacé d'avoir à prou-
ver beaucoup plus que ses capacités à attendre puis
à chérir l'*ultima noche* ! Ici encore, nous voyons
combien il est préférable de voyager le cœur gonflé
d'espérance que d'arriver à destination !

Le même genre de difficulté empoisonne désormais la vie de l'homme italien du fait de l'émancipa-
tion progressive des femmes de son pays. Avant ce

changement, le comportement de l'Italien pouvait être aussi passionné qu'il l'estimait nécessaire. Le risque était mince, puisque l'objet de ses attentions repoussait ses plus brûlantes avances avec une régularité de métronome. L'une des règles fondamentales du comportement masculin était alors : Si je passe plus de cinq minutes seul dans la compagnie d'une femme – de n'importe quelle femme – sans essayer de la peloter, elle va me prendre pour un homosexuel. Hélas ! ces dames ont l'esprit de plus en plus ouvert et, dans la mesure où les statistiques psychiatriques sont dignes de foi, le nombre des hommes qui entrent en traitement pour impuissance ne cesse de croître. Se lancer dans le flamboyant rôle du mâle latin n'est sans danger qu'en face d'une partenaire dont on est assuré qu'elle saura adopter automatiquement l'attitude complémentaire, celle du refus coquet mais relativement maternel.

Les Européens de passage aux États-Unis risquent au contraire une mésaventure qui est à l'opposé de celle de l'amant latin. Dans toutes les cultures, il existe de brèves périodes au cours desquelles le contact oculaire direct avec un inconnu est autorisé. Quand ce temps « autorisé » est dépassé, ne fût-ce que d'une seconde, les résultats sont bien différents aux États-Unis et en Europe. L'Européenne ainsi fixée par son vis-à-vis en est rapidement ennuyée et détourne généralement les yeux. En Amérique du Nord, l'habitude (surtout pour les femmes) est de sourire. Cette réaction totalement inattendue risque de conduire le plus timide des Européens à supposer qu'il vient de susciter chez l'autre je ne sais quelle sympathie particulière – une manière de coup de foudre, en somme – et que la situation recèle des possibilités inattendues. Or, elle ne recèle rien du tout ; c'est tout simplement que les règles du jeu sont différentes.

Pourquoi ai-je régalé mon lecteur de ce pot-pourri de bizarreries ethnologiques ? Pour l'impressionner par le cosmopolitisme de mes connaissances, certes, mais aussi, et plus simplement, pour permettre à cet hypocrite mon frère de transformer chacun de ses voyages à l'étranger (ou toute visite d'étrangers chez lui ou à son bureau) en une occasion d'être déçu. Ici encore, le principe est tout simple : affronté à toutes les preuves du contraire, on continuera de tenir sa propre conduite pour évidente et normale dans toutes les circonstances ; sitôt cela fait, tout autre comportement que le sien propre dans une situation donnée apparaîtra démentiel, stupide ou déplacé.

La vie est un jeu

Le psychologue Alan Watts a dit un jour que la vie est un jeu dont la règle numéro 1 est la suivante : « Attention, ce n'est pas un jeu, soyons sérieux ! » Et Laing devait avoir quelque chose de semblable à l'esprit quand il écrivit dans *Nœuds* : « Ils jouent à un jeu. Ils jouent à ne pas jouer à un jeu » ((9), p. 17).

Nous avons déjà vu plus d'une fois qu'une des principales préconditions à la recherche du malheur est la capacité d'empêcher sa main droite de savoir ce que fait la gauche. C'est l'unique façon de jouer au petit jeu de Watts et de Laing (jeu de main, jeu de vilain !).

Mais on aurait tort de voir là passe-temps de rêveurs. Depuis les années 1920, il existe même un domaine des mathématiques supérieures, la théorie des jeux, pour traiter de tout cela. C'est de ce domaine que nous allons faire notre dernière source d'inspiration. Évidemment, pour le mathématicien, le mot même de « jeu » n'emporte pas de nuance ludique et enfantine. Il s'agit plutôt pour lui d'un cadre conceptuel, gouverné par un corpus de règles spécifiques qui déterminent, à leur tour, les comportements possibles des participants (les joueurs). Il va sans dire que les chances de gain sont d'autant plus grandes que l'on a bien compris les règles et qu'on sait les appliquer au mieux.

La théorie des jeux opère d'emblée une distinction fondamentale entre deux catégories de jeux, ceux dans lesquels la somme des gains et des pertes est égale à zéro et les autres. Considérons d'abord les premiers. Ce sont les jeux où les pertes d'un joueur constituent les gains d'un autre. Les paris entre deux personnes reposent tous sur ce principe : ce que je perds, tu le gagnes. (Il existe évidemment des formes de jeu à somme-zéro beaucoup plus compliquées, mais nous pouvons les négliger en considérant que le principe de base y est toujours le même, celui que nous venons d'évoquer.)

Dans la seconde catégorie de jeux, les pertes et les gains ne s'annulent pas. Cela signifie que leur somme peut être inférieure ou supérieure à zéro. Autrement dit, dans cette forme de jeu, les deux joueurs (et, s'il y en a plus, tous les joueurs) en présence peuvent perdre ou gagner. Au premier coup d'œil, cela peut paraître étrange, mais les exemples ne manquent pas. Prenons la grève. En règle générale, les joueurs en présence, main-d'œuvre et patronat, perdent tous les deux. Car, même si, dans le cours de l'affrontement, l'une des parties en présence s'assure un avantage, la somme générale des gains et des pertes n'est pas forcément égale à zéro et peut fort bien être un nombre négatif.

Imaginons donc que la perte de production résultant de la grève vienne favoriser un concurrent, mis à même de vendre une plus grande quantité de ses produits. À ce niveau, la situation peut fort bien représenter un jeu à somme-zéro : les pertes de l'entreprise affectée par la grève sont égales aux nouveaux profits de la firme concurrente. Mais on remarquera que les pertes de la première entreprise affectent aussi bien le patronat que les travailleurs qui, en ce sens, sont les uns et les autres perdants.

Si nous descendons maintenant du royaume abstrait des mathématiques et de la guérilla collective qui oppose le patronat au mouvement ouvrier au niveau des relations inter-individuelles, une question se pose : les associations humaines sont-elles des jeux à somme-zéro ? Pour y répondre, il va nous falloir déterminer si les « gains » d'un partenaire peuvent être considérés comme les « pertes » de l'autre.

Et les opinions là-dessus sont fort partagées. Si la question se ramenait à savoir qui a raison (au niveau de l'objet) et qui tort, on pourrait parler de somme-zéro. Et c'est bien le cas d'un grand nombre de relations. Pour pénétrer dans cet enfer, il est bien suffisant qu'un seul des partenaires considère la vie comme un jeu à somme-zéro, dans lequel on aurait *seulement* le choix entre la défaite et la victoire. De là peut suivre sans difficulté tout le reste, même si l'autre ne considérait pas dès l'origine l'existence comme un perpétuel combat de rue. Car il peut se laisser convertir à cette opinion. Il suffit d'entamer un jeu à somme-zéro au niveau des relations pour être assuré de la tournure infernale que prendront tôt ou tard les choses. Car, désespérément obsédés par l'idée de gagner pour ne pas perdre, les joueurs de ce genre de jeu risquent d'oublier une chose : le principal adversaire, la vie, et tout ce qu'elle a à offrir en dehors de la victoire et de la défaite. C'est en face de cet adversaire que les deux partenaires perdent l'un et l'autre.

Pourquoi est-il si difficile pour nous de nous rendre compte que la vie n'est pas un jeu à somme-zéro ? Que nous pouvons gagner tous les deux si nous ne sommes pas obsédés par l'idée qu'il nous faut vaincre l'autre pour ne pas perdre nous-même ? Et, plus encore – ce qui échappe totalement à la compréhension des maîtres du jeu à somme-zéro –, qu'il est même possible de vivre en harmonie avec ce partenaire omniprésent, la vie ?

Mais voilà que je me reprends à poser des questions rhétoriques. Des questions que Nietzsche avait déjà abordées dans *Par-delà le bien et le mal*, en affirmant que la folie, rare chez les individus, est la règle dans les groupes, les nations et les époques. Pourquoi de simples mortels seraient-ils plus avisés que leurs dirigeants politiques, leurs super-patriotes, leurs idéologues et les superpuissances elles-mêmes ? Se servir une fois pour toutes du gros bâton et reprendre à son compte l'expression favorite du Kaiser – *Viel Feind, viel Ehr'* – beaucoup d'ennemis, beaucoup d'honneur.

Épilogue

Il existe une seule règle simple qui pourrait mettre un terme à ce jeu, mais elle n'appartient pas à ce jeu, qui est donc interminable. On la désigne sous bien des noms différents qui, tous, ont à peu près la même signification : loyauté, tolérance, confiance, etc.

Par-devers nous, dans la tête, nous avons toujours connu l'existence de cette règle. (Il existe même d'obscurs proverbes qui y font allusion – On retire de l'existence ce que l'on y a mis, ou encore : C'est la question qui détermine la réponse, etc.) Mais il y a les tripes. Et, à ce niveau-là, rares sont les bien-heureux qui y croient vraiment. Le croire, ce serait non seulement savoir que nous sommes les artisans de notre propre malheur, mais comprendre que nous pourrions tout aussi bien construire notre bonheur.

Puisque ce petit livre s'ouvrait sur une citation de Dostoïevski, on me permettra de le conclure par une autre. Dans *les Possédés*, l'un de ses person-nages les plus énigmatiques fait la déclaration sui-vante, qui se rapporte bien à notre sujet :

« Tout est bien… Tout. L'homme est malheureux parce qu'il ne sait pas qu'il est heureux. Ce n'est que cela. C'est tout, c'est tout ! Quand on le découvre, on devient heureux aussitôt, à l'instant même… »

Bref, la situation est désespérée, et la solution désespérément simple.

Bibliographie

1   Elster, Jon, *Ulysses and the Sirens : Studies in Rationality and Irrationality*, Cambridge, Cambridge University Press, et Paris, Éditions de la Maison des sciences de l'Homme, 1979.

2   Fairlie, Henry, « My Favorite Sociologist », in *The New Republic*, 7 octobre 1978, p. 43.

3   Genet, Jean, *Le Balcon*, in *Œuvres complètes*, t. IV, Paris, Gallimard, 1968.

4   Greenburg, Dan, *How to Be a Jewish Mother*, Los Angeles, Price/Stern/Sloane, 1964 ; trad. fr., *Comment devenir une mère juive en dix leçons*, Paul Fuks, Paris, J. Lanzmann et Seghers éd., 1979, p. 14-15 et 19.

5   Greenburg, Dan, *How to Make Yourself Miserable*, New York, Random House, 1966 ; trad. fr., *le Manuel du parfait petit masochiste*, Paris, Seuil, coll. « Point-Virgule », 1985.

6   Gulotta, Guglielmo, *Commedie e Drammi nel Matrimonio*, Milan, Feltrinelli, 1976.

7   Keesee, Bobby J., relevé dans la *San Francisco Chronicle* du 29 avril 1975, p. 15.

8   Kubie, Lawrence S., « The Destructive Potential in Humor », in *American Journal of Psychiatry*, 127, 1971, p. 861-866.

9   Laing, Ronald D., *Knots*, New York, Pantheon Books, 1970 ; trad. fr., *Nœuds*, Paris, Stock, 1971 ; coll. « Stock Plus », 1977.

10   Laing, Ronald D., *Do You Love Me ?* New York, Pan-
     theon Books, 1976 ; trad. fr., *Est-ce que tu m'aimes ?*
     Paris, Stock, 1978.

11   Maryn, Mike, relevé dans la *San Francisco Chronicle* du
     28 juillet 1977, p. 1.

12   Morisette, Rodolphe et Luc, *Petit Manuel de guérilla
     matrimoniale*, Montréal, Ferron, 1973.

13   Orwell, George, « Revenge Is Sour », in *The Collected
     Essays, Journalism and Letters of George Orwell*, Sonia
     Orwell et Ian Angus, New York, Harcourt, Brace and
     World, 1968, vol. 4, p. 3-6.

14   Parkinson, Cyril N., *Parkinson's Law and Other Studies
     in Administration*, Boston, Houghton Mifflin, 1957.

15   Parkinson, Cyril N., *Mrs Parkinson's Law and Other
     Studies in Domestic Science*, Boston, Houghton Mifflin,
     1968.

16   Peter, Laurence J., et Hull, Raymond, *Le Principe de
     Peter*, Paris, Stock, « Le Livre de poche », 1971.

17   Potter, Stephen, *The Complete Upmanship*, New York,
     Holt, Rinehart & Winston, 1971.

18   Ross, Nancy W. (éd.), « The Subjugation of a Ghost », in
     The World of Zen, New York, Random House, 1960.

19   Rousseau, Lettre à Mme d'Houdetot de juillet 1757, in
     Correspondance complète, t. IV, Genève, Institut et
     musée Voltaire ; cité in Peyre H., *Literature and Since-
     rity*, New Haven, Yale University Press, 1963.

20   Sartre, Jean-Paul, *L'Être et le Néant*, Paris, Gallimard,
     1943, p. 431 et 434.

21   Searles, Harold, « L'effort pour rendre l'autre fou »,
     article de 1959, qui donne son titre à l'ouvrage *l'Effort
     pour rendre l'autre fou*, Paris, Gallimard, coll. « Biblio-
     thèque de l'inconscient », 1977.

22   Selvini Palazzoli, Mara, *Il Mago Smagato*, Milan, Feltri-
     nelli, 1976 ; trad. fr., *le Magicien sans magie – Ou
     comment changer la condition paradoxale du psycho-
     logue dans l'École*, Paris, ESF, 1980.

23   Spaemann, Robert, « Philosophie als Lehre vom glückli-

chen Leben », in *Neue Zürcher Zeitung*, n° 260, 5/
6 novembre 1977, p. 66.

24 U.S. Bureau of Census, *Statistical Abstracts of the United
States*, 102e édition, Washington, 1981.

chen J. Chang eds. World Zarakov... Summer Co. 1972, 23,
Convention 1572 p. 30.

24. U.S. Bureau of Census, Statistical Abstract of the United
States. 1975. Bureau. Washington 1975.

Table

Table

Du même auteur

L'Invention de la réalité
Comment savons-nous ce que nous croyons savoir ?
Contributions au constructivisme
(direction)
1988
et « Points Essais » n° 325, 1996

Les Cheveux du baron de Münchhausen
Psychothérapie et « réalité »
« La Couleur des idées », 1991
et « Points Essais » n° 423, 2000

Stratégie de la thérapie brève
(co-direction avec G. Nardone)
« La Couleur des idées », 2000

CHEZ D'AUTRES ÉDITEURS

L'Interaction en médecine et en psychiatrie
En hommage à Grégory Bateson
(avec M. Guy)
Génitif, 1982

L'Art du changement
(avec G. Nardone)
Le Bouscat, L'Esprit du temps, 1993, 2003

RÉALISATION : IGS-CP À L'ISLE-D'ESPAGNAC
IMPRESSION : NORMANDIE ROTO S.A.S. À LONRAI
DÉPÔT LÉGAL : AOÛT 2014. N° 116748-3 (1602117)
Imprimé en France

Éditions Points

Le catalogue complet de nos collections est sur Le Cercle Points, ainsi que des interviews de vos auteurs préférés, des jeux-concours, des conseils de lecture, des extraits en avant-première…

www.lecerclepoints.com

Collection Points Essais

éprouver aucune difficulté à voir leur jeunesse comme une espèce de paradis perdu et à en faire un réservoir inépuisable de larmoyante nostalgie.

La jeunesse ne constitue bien sûr qu'un exemple parmi d'autres. On peut citer aussi le profond chagrin éprouvé lors de la rupture d'une relation amoureuse. Qu'on résiste alors à la voix de la raison, à celles de ses propres souvenirs et de ses amis bien intentionnés qui, les uns comme les autres, proclament que cette relation était depuis longtemps désespérée et qu'on s'était même, à plusieurs reprises, demandé comment échapper à cet enfer. Il suffit de refuser de croire que la séparation est, de loin, le moindre mal. Et de se convaincre au contraire, pour la énième fois, qu'un « nouveau départ » – mais sérieux, « pour de bon » – aura toutes les chances de réussir. (Il est sûr qu'il échouera.) Il suffit de se laisser conduire par la plus élémentaire logique : si la perte du ou de la bien-aimé(e)* cause une douleur si infernale, quelle félicité divine ce sera de le ou la retrouver ! Qu'on s'isole donc ! Qu'on demeure enfermé chez soi, à proximité du téléphone, afin d'être prêt pour le coup de téléphone décisif qui transfigurera deux existences. Enfin, si l'attente se révélait trop longue, au point de devenir intolérable, on n'aura qu'à se rabattre sur une recette qui a fait

---

* Comme tant d'auteurs avant moi, en ces temps de féminisme à tout crin, je me suis heurté au problème d'éviter le machisme agressif sans tomber dans l'emploi de formules aussi hideuses que « il et/ou elle », « il/elle », etc. Eh bien, j'abandonne ! Le lecteur – la lectrice – voudra bien, désormais, avoir la bonté d'imaginer que, partout où je dis « il », il faut lire en fait « il ou elle » – merci.

Quatre façons
de jouer avec le passé

Le temps, dit-on, guérit toutes les blessures. C'est possible, mais cela n'est pas pour nous faire peur. Car il est tout à fait possible de se protéger contre cet effet du temps, pour faire du passé une source de malheur très fiable. Afin d'y parvenir, quatre mécanismes ont fait leurs preuves depuis des temps immémoriaux.

1. *La glorification du passé.*

Avec tant soit peu de talent, même le débutant saura s'arranger pour voir son passé à travers des lunettes roses qui ne laisseront visible que ce qu'il a eu de bel et bon. Seuls les incapables que dépasse ce simple truc conserveront du passé une vision terre à terre qui fait de l'adolescence (pour ne rien dire de l'enfance !) une désagréable période de *Weltschmerz*, nourrie de regrets du passé et de craintes de l'avenir – et jamais il ne leur arrivera de souhaiter le retour de ces années interminables. S'ils sont un peu plus doués, les candidats au malheur ne devraient